le monstre

le monstre

INGRID FALAISE

RÉCIT

Libre Expression
Une société de Québecor Média

Catalogage avant publication de Bibliothèque et Archives nationales du
Québec et Bibliothèque et Archives Canada

Falaise, Ingrid
    Le monstre
    ISBN 978-2-7648-1089-7
    I. Titre.

PS8611.A45M66 2015   C843'.6   C2015-941259-5
PS9611.A45M66 2015

Édition : Nadine Lauzon
Révision et correction : Isabelle Lalonde et Isabelle Taleyssat
Couverture et mise en pages : Clémence Beaudoin
Photos de l'auteure : Stéphanie Lefebvre

Remerciements
Nous remercions le Conseil des Arts du Canada et la Société de développement
des entreprises culturelles du Québec (SODEC) du soutien accordé à notre programme de publication.
Gouvernement du Québec – Programme de crédit d'impôt pour l'édition de
livres – gestion SODEC.

Financé par le gouvernement du Canada | **Canadä**
Funded by the Government of Canada

Les Éditions Libre Expression
Groupe Librex inc.
Une société de Québecor Média
La Tourelle
1055, boul. René-Lévesque Est
Bureau 300
Montréal (Québec) H2L 4S5
Tél. : 514 849-5259
Téléc. : 514 849-1388
www.edlibreexpression.com

Dépôt légal – Bibliothèque et Archives nationales du Québec et Bibliothèque
et Archives Canada, 2015

ISBN : 978-2-7648-1089-7

Distribution au Canada   **Diffusion hors Canada**
Messageries ADP inc.   Interforum
2315, rue de la Province   Immeuble Paryseine
Longueuil (Québec) J4G 1G4   3, allée de la Seine
Tél. : 450 640-1234F-94854   Ivry-sur-Seine Cedex
Sans frais : 1 800 771-3022   Tél. : 33 (0)1 49 59 10 10
www.messageries-adp.com   www.interforum.fr

« Nous ne sommes jamais aussi mal protégés
contre la souffrance que lorsque nous aimons. »
Sigmund Freud

PROLOGUE

J e sens la panique monter en moi. Le sang bat dans mes tempes. Je cherche à reprendre mon souffle. L'oreiller qu'il tient enfoncé sur mon visage m'empêche de respirer. Mes bras ballottent dans tous les sens. J'essaie vainement de me débattre. Assis de tout son poids sur mon corps quasi inerte, il me tient entièrement captive. Mes cris ont fait s'évanouir les dernières traces d'air qui, jusqu'ici, m'avaient permis de demeurer consciente. Je ne suis pas prête à m'effacer. Je ne suis pas prête à disparaître.

Une brûlante prière m'envahit et prend forme dans mon cerveau ralenti par le manque d'oxygène. Il m'aura appris au moins ça… à prier. Je crois en ce Dieu. J'y crois fort, de toute mon âme et de chacune des parcelles de mon petit être qui a tant besoin d'être aimé. *Mon Dieu, faites en sorte que je trouve la force de sauver ma peau. Mon Dieu, je vous en supplie, mon Dieu, je vous aime, mon Dieu, aidez-moi à vivre.*

Un rugissement me propulse dans la réalité de mon présent, fouettée par son grognement inhumain. Je sens mon pesant bourreau s'effacer de mon visage, le poids des plumes fait place à un vertige puissant. Je cherche mon air, je cherche mon souffle, je halète. Mes poumons se crispent sous cette violente libération. Vite, je dois reprendre le contrôle de mon corps et m'échapper de ce moment dans lequel j'ai failli m'arrêter.

Un lit aux draps violets qui n'ont pas été changés depuis des mois aurait fait office de cercueil. Sur la table, un cendrier rempli de mégots de cigarettes de la veille et, désormais, devant moi, un lion mugissant. Il a laissé choir l'oreiller à mes côtés et il arrache maintenant son t-shirt Hugo Boss de toutes les forces de ses grosses pattes psychopathes. À quelques pas de moi se tient ce monstre en transe, déchirant en lambeaux ses vêtements, qu'il porte habituellement avec tant de fierté et de classe. Il rugit, les yeux rougis, le visage blême et la sueur ruisselant sur son crâne nu.

Instinct de survie. Je pourrai ajouter cette notion à ma liste d'expériences. Mon Monstre, dans son trouble et son émoi profond, s'est désintéressé de mon sort quelques secondes. Assez longtemps pour que l'adrénaline me pousse vers le téléphone abandonné sur le sol, trop près de mes mains. Ce téléphone que j'ai tant observé. Cet appareil interdit, qui ne sonne jamais et qui semble entouré de barbelés. Ce combiné qui fait monter en moi une frayeur paralysante. Il est là… Est-ce Dieu ? Mes anges ? Mes guides ? Mes tripes ? Est-ce cet instinct de survie qui me donne la force d'agir ? J'empoigne le combiné et je compose à toute vitesse ce numéro. Ce numéro que j'ai tant composé dans mon imaginaire, ces chiffres qui représentent mon château fort, mes racines. J'ai l'empreinte de ce moment dans chacune des cellules qui me constituent. Cette sensation est gravée dans l'entonnoir de mes émotions. Ma chair frissonne lorsque le Monstre détourne subitement la tête en ma direction. Son regard se fixe dans mes yeux et transperce mon âme. Assise sur le lit violet, essoufflée, haletante et le combiné à mon oreille, j'entends le premier son de ma libération.

Un sentiment étranger m'envahit. Une impression de force, de volonté prend possession de mon être. Je ne laisserai pas le vertige m'envahir. À partir de cet instant, je me battrai pour tous les coups reçus. Je me démènerai jusqu'à épuisement, mais je ne lui redonnerai pas l'occasion de me manipuler comme auparavant. J'ai repris mon pouvoir et je compte bien le garder. Je combattrai jusqu'à mourir s'il le faut, mais personne ne pourra tuer la dose d'amour que je viens de m'injecter. Il ne pourra plus détruire ma personnalité ni taire ce que je suis.

Dans le regard du Monstre, je peux lire un mélange de haine et de frayeur. Un amas d'incompréhension, de stupeur et de rage. Un amalgame de fureur et d'étonnement. Il semble figé par le revirement de situation. Lui si calculateur, il n'avait pas prémédité l'affaissement de son habituel contrôle.

Au premier coup de sonnerie, une voix endormie à l'autre bout du fil murmure un « Allo » que je ne laisse pas s'éterniser. Je suis dans l'urgence la plus totale, guettant le langage corporel du lion qui recommence à rugir. Je le sens prêt à bondir pour m'arracher le combiné des mains. Ses prunelles noires me fixent, ses ongles veulent arracher la peau de son crâne, il se tord dans une danse saccadée qui semble douloureuse. Je n'ai pas les moyens de perdre ce temps précieux avant l'attaque. Des mots précipités se forment dans ma bouche sèche. En panique, j'ai à peine le temps de formuler ces quelques mots : « Tu sais où je suis, viens me chercher ! » Et le lion saute. Je sens tout le poids de son corps fracasser le mien. Le téléphone heurte le mur du minuscule appartement d'une pièce et demie logé dans le sous-sol d'un immeuble crade de l'arrondissement Saint-Laurent, tout près du stationnement intérieur où rats et coquerelles ont logis. Ce stationnement intérieur, je le connais bien, c'est l'endroit où le Monstre me traîne lorsqu'il veut m'engueuler plus sauvagement.

À ce moment, j'espère de tout mon cœur de petite fille que ma maman a capté ma voix, qu'elle m'aidera à sauver ma peau. S'en sont suivies les plus longues minutes de mon existence, la plus longue bataille physique et mentale que j'aurai expérimentée dans cette vie-ci. La guerrière en moi a besoin de surgir complètement afin de remporter sa liberté.

MA VÉRITÉ

Assise sur une chaise trop droite et inconfortable, je devrai tout raconter. On m'a amenée dans une salle de conférences où j'attends Me Savoie, un avocat important, m'a-t-on dit. Mon père a pris place à mes côtés et, alors qu'il arbore habituellement un air calme et serein que j'ai toujours admiré, cette fois, il est vraisemblablement plus nerveux que moi.

Papa parle lentement. Il a toujours été ce grand sage qui perçoit le bon côté des gens (même les connards de ce monde, ce que je n'ai jamais compris). En fait, je l'ai détesté pour cela. J'aurais aimé parfois qu'il soit ce gros papa italien qui défend sa famille à tort ou à raison et qui fait sa loi avec un revolver caché dans son pantalon. Mais mon papa, c'est un « bon Jack ». Tout le monde l'admire et, moi, c'est l'homme que j'aime le plus sur cette terre. Il sait doser l'écoute et les conseils, et il a cette facilité à entrer en contact avec l'âme des gens tout en étant un homme d'affaires hors pair. Il est juste. Il est vrai. C'est mon pilier.

J'ai toujours affirmé que je suis son portrait craché et que mes sœurs ont les traits de ma mère.

Je l'aurais suivi à vélo jusqu'à Tombouctou sans sourciller s'il me l'avait demandé. Durant mon adolescence, alors qu'à l'école c'était la guerre, j'aimais encore rouler à bicyclette aux côtés de mon père courant un demi-marathon.

Papa se lève soudainement et entame un va-et-vient près de la table de conférence en bois verni. Moi, je suis figée. Je n'ai pas envie de raconter à un inconnu les dernières années de mon existence, de surcroît devant mon père. Je crains de le décevoir. Je garde la tête baissée, je ne veux pas croiser son regard.

Me Savoie fait son entrée dans la salle de conférences : un petit homme, trop court sur pattes, aux lunettes trop rondes. Comment un homme si petit pourra-t-il me défendre ? Il ne ressemble pas à l'image que j'ai des avocats ni aux hommes de loi qu'on voit dans les films américains. Pas de *mafioso italiano* ici, mais plutôt un mini monsieur qui, me dis-je pour me rassurer, est sûrement très intelligent.

L'avocat, après des salutations protocolaires ni chaudes ni froides, prend place de l'autre côté de la table et ouvre son ordinateur. Par chance, son écran ne fait que dix-huit pouces, sinon je crois bien que son visage aurait disparu derrière.

En guise de protection, je suis toujours exempte d'expressions, mais je retiens de peine et de misère une énorme boule qui grossit dans ma gorge. Cette boule, je l'ai encore aujourd'hui. Elle refait surface lors de cauchemars nocturnes où je tente désespérément de hurler sans qu'aucun son sorte. Souvent, le matin au réveil, les traces de larmes ont creusé leurs trajectoires sur mes joues et la gorge me brûle à force d'avoir essayé en vain de crier.

Papa se rassoit à mes côtés en me prenant la main et, inévitablement, nos regards se rencontrent. Ses yeux si doux transpercent mon âme et j'y vois toute la souffrance d'un père qui n'a pas su protéger sa fille. Je me sens toute petite, fragile, anéantie et désolée. *Je suis désolée, papa, de t'avoir fait subir mon histoire.* C'est l'heure. Me Savoie demande ma déposition. Je dois tout raconter.

Ceci est mon histoire. Non celle d'une lointaine étrangère, ni celle d'une femme d'ailleurs. C'est la mienne, mais également celle de votre sœur, de votre fille, de votre amoureuse, de votre amie et peut-être même la vôtre.

M

Rencontrer un homme comme le Monstre, ça n'arrive qu'une fois dans une vie. Un monstre a une aura si magnétique autour de lui qu'on se sent immédiatement choyée et unique s'il daigne poser son regard sur nous. On se sent privilégiée et instantanément remplie d'une force inépuisable.

J'ai toujours rêvé de m'appeler Sophie. Petite, j'idolâtrais ma grande cousine qui portait ce nom et je rêvais de lui ressembler. J'ai ce souvenir d'elle : une adolescente à cheval, les cheveux blonds au vent, le rire éclatant. Une typique scène de film.

Maintenant, j'ai dix-huit ans et je ne galope pas à cheval. Je saute plutôt des étalons de mon âge ou plus vieux. J'ai cette envie de séduire et de jouer. J'ai soif d'être désirée et courtisée. J'ai faim d'amour et de passion. Mon air doux et angélique ainsi que mon côté naïf et candide sont des attraits pour ces jeunes hommes mystérieux et sombres, tout autant que le semblant d'estime que j'ai de moi-même et l'illusion de confiance que je dégage. J'ai donc dix-huit ans et je m'appellerai Sophie.

Mon Monstre, je l'ai croisé lors d'une soirée bien arrosée, au sommet du plus haut gratte-ciel du cœur de la métropole. À l'entrée, les gardes de sécurité nous autorisent à grimper, mes copines et moi, au trente-septième étage en nous souhaitant une belle soirée. Quinze dollars plus tard (ouch! c'est beaucoup pour de jeunes étudiantes avec un travail d'été, paumées), les portes de l'ascenseur s'ouvrent sur un *lounge* du tonnerre déjà bondé. Il est 23 heures, c'est l'heure où on se lâche lousse… *Shooters!* Allez hop, soirée endiablée à l'horizon!

Je danse sur les rythmes d'une musique pop branchée dans cette atmosphère de folie et de liberté. Une belle grande blonde comme moi se fait instantanément remarquer par les serpents de la place, mais, moi, je ne me laisse pas envenimer facilement. J'ai plutôt besoin de sentir les pulsions de la passion pour me donner complètement. J'ai de l'appétit pour l'ardeur des béguins, le feu, les flammes périlleuses. C'est ce que m'offre un de ces hommes. Un événement, une rencontre, un moment qui fera bifurquer ma route et qui posera à jamais des cicatrices sur mon cœur, mon corps, mon innocence. Un instant qui forgera différem-ment le reste de mon existence et qui volera les derniers traits d'enfance qui m'habitent encore.

Je le remarque sur-le-champ. Toutes les filles le remarquent. Il est accoudé au long bar blanc, tel un James Dean mystérieux épiant la foule. Je com-prendrai plus tard qu'il avait l'habitude de s'isoler, de rester un peu à l'écart; ça fait partie du mystère qu'il cultive. Il s'entretient avec les serveuses aux décolletés plongeants qui s'affairent à remplir son verre à la moindre occasion. Il a ce rare charme, une arme puissante et destructrice.

Mr Dean me fixe, me déshabille sans retenue de ses yeux noirs. Malgré les quelques mètres qui nous séparent, je peux sentir cette attirance infinie. Un fil de lumière se tisse de l'âme de Mr Dean à la mienne. Une connexion instantanée. On appelle ça un coup de foudre.

À ce jour, sa foudre m'aura bel et bien frappée à trop de reprises.

M comme Monstre, M comme Malade, M comme Manipulateur... M comme la première lettre de son prénom... M comme la première lettre de son nom de famille.

M glisse vers moi et je peux percevoir son parfum subtil. Sa chemise blanche, à peine entrouverte, découvre un torse lisse et un brin basané. Sur les airs de Billy Jean, ses longs bras balancent de chaque côté de son corps élancé. Ses pantalons droits tombent parfaitement sur ses hanches. Un visage comme le sien, ça n'existe pas : il a le nez juste assez fin, le visage coupé au couteau, des lèvres remarquablement pulpeuses et un sourire «monalisien». Son odeur de soleil, sa peau tout juste hâlée, son visage lisse aux pommettes saillantes à point, il a le port princier et un corps leste, mince et svelte. Il n'a ni la beauté plastique ni le corps musclé. Il pourrait être mannequin et battre à plate couture les David Beckham de ce monde. À dire vrai, je ne reverrai jamais un homme d'une beauté aussi exquise.

Difficile de savoir s'il est espagnol, italien ou maghrébin. Il vient d'ailleurs, d'une autre planète. Il sent le miel et le goûte sûrement aussi. Il danse maintenant si près de moi que nos jambes s'entre-croisent. Je me laisse entraîner par cet inconnu.

Il pose sa main sur ma taille et je sens la chair de poule grimper le long de ma colonne vertébrale. Décharge électrique. Ce sentiment d'excitation suprême fait frémir mes cuisses. Sur une musique maintenant lascive, nous nous enlisons l'un dans l'autre. Le souffle de ce James Dean caresse ma nuque. Une fanfare prend possession de mon corps, une foudre transperce mes sens. Ça brûle à l'inté-rieur de ma chair. Le feu, les flammes s'emparent de mon être.

La chanson s'éternise et M est toujours lacé autour de mon corps. Dans un chuchotement à peine audible empreint d'une politesse gracieuse, il me susurre à l'oreille de l'accompagner prendre un verre sur la terrasse extérieure. Je ne réponds pas à sa demande, mais je tiens, tel un automate, cette main qui vient d'agripper la mienne.

Main dans la main, osmose de nos chairs.

M m'attire vers les étoiles. La terrasse est si haut perchée sur cet immeuble interminable que les astres semblent parmi nous. Il m'enlace. Ce qu'elle est douce, sa peau ! Comme si elle n'avait jamais eu trop chaud ou trop froid, comme s'il avait baigné dans une huile sucrée toute son enfance. À l'en-contre du tempo, une transe nous emporte. Mon cœur tambourine si fort dans ma poitrine que je crains qu'il ne le remarque. Ses prunelles envoû-tantes se fixent sur moi. Du coup, ça me gêne un peu. Peut-il lire mon âme? J'ai si soif d'amour et de protection. De sa bouche se déverse un concert nocturne, une sérénade de paroles qui me sont destinées. Il chantonne tout bas les mots ensorcelants d'une chanson de Pierre Bachelet: «Et moi, je suis tombé en esclavage, de ce sourire, de ce visage, et je lui dis emmène-moi…»

M penche doucement son visage vers le mien. Ses lèvres touchent ma bouche, et je suis envahie par un orgasme spirituel, un alliage de peur et de bonheur.

Nous avons discuté et dansé, puis nous nous sommes embrassés jusqu'à ce que le DJ mette fin au dernier slow, que les lumières se rallument et que les derniers *clubbers* quittent la place. Mes amies ont eu la délicatesse de s'assurer que j'étais entre bonnes mains et elles ont aussi eu la gentillesse de me laisser dans ma bulle à profiter de mon homme.

Toujours gentleman, il m'escorte jusqu'à ma voiture stationnée dans une petite ruelle non loin de là. Il me caresse tendrement le visage. Je n'arrive pas à lire cet homme qui vient de tatouer ses initiales sur mon âme. Il dégage une force tranquille, une arrogance dissimulée par un visage impeccable. Il transcende le danger et l'imprévisible. Je me sens à la fois en totale sécurité et protégée par ce prince qui semble avoir la capacité d'affronter le plus gros des dragons difformes qui se présenteraient sur notre route. De son épée, il trancherait la tête de tous les monstres qui s'approcheraient de nous. Mais une partie de moi palpe un danger en présence de cet être fascinant qui pourrait, je le crains, m'hypnotiser à sa guise. Je suis envoûtée par ce mystère qui entoure M. La potion magique du coup de foudre coule en moi. Le charme opère, je suis accrochée. Je désire le revoir vite, aussi vite que possible. Un dernier baiser magique et nous nous donnons rendez-vous le lendemain.

J'ai froid. Un matelas sans draps gît au centre d'une chambre aux murs jaunis. La moisissure tapisse le plafond. Je gis aussi, immobile sur le plancher de cette chambre noire. C'est la nuit. L'engourdissement profond dans lequel je me trouve empêche mes yeux de s'entrebâiller. Je sombre dans une léthargie. Je suis inerte, abattue, paralysée par les bouteilles de médicaments que j'ai vidées d'un coup. Je veux plonger dans le néant pour ne plus jamais ressentir de douleur. Je veux m'échapper vers un monde meilleur et fuir les vautours qui m'ont laissée choir dans cet immeuble. Je suis seule, si seule. Je veux disparaître à jamais.

La petite fille en moi

Nous nous sommes revus quelques fois au cours de la semaine qui a suivi cette première soirée déconcertante. L'alcool ayant laissé place à la lucidité, les sens sont éveillés d'une tout autre façon. J'amène M visiter mon quartier de banlieue. Il ne parle pas beaucoup, mais je tente de le déchiffrer, d'analyser le langage de ses gestes. Je souhaite tant qu'il soit bien en ma présence.

M s'ouvre peu à peu à moi, fumant clope après clope. Il a l'art des mots, c'est un poète malgré lui. Il me raconte qu'il est l'aîné d'une famille de trois enfants. Son frère rêve de devenir médecin et sa sœur cadette est encore petite. Il ne dit jamais à sa mère « Je t'aime » et ne la prend pas dans ses bras non plus. Il habite un studio que son père a construit pour lui à sa demande, juste à côté de la maison familiale. Sa ville se trouve à cinq heures de route de la capitale de son pays, tout près du Sahara.

Il a vingt-trois ans et idolâtre James Dean ainsi que Pierre Bachelet. Il a d'ailleurs concocté une cassette audio avec des chansons qui lui font penser à moi, me dit-il. Personne ne m'a jamais fait de cassette, que c'est romantique! *Elle est d'ailleurs, Je vais t'aimer, Sultans of Swing, Total Eclipse of the Heart.* Des chansons qui ne sont pas de ma génération, mais qui demeurent intemporelles. Je craque. Nous écoutons la musique en boucle, couchés sur la carpette du salon, côte à côte. Entre nous, le courant passe à la vitesse de l'éclair, l'énergie et le magnétisme sont sûrement visuellement détectables.

Pour mon plus grand malheur, c'est l'été et le temps des vacances approche. M a déjà son billet d'avion, il retourne dans sa famille en Afrique pour un séjour d'un peu plus d'un mois, ce qui représente l'éternité pour notre nouveau couple qui vient tout juste de fusionner. J'ai peur qu'il m'oublie, qu'il ne pense plus à moi. J'ai peur de le perdre et que les empreintes de notre première soirée s'effritent, se diluent avec le temps.

De mon côté, je prends un vol pour la Suède, où je passerai dix jours avec ma petite sœur. Ma mère étant d'origine suédoise, j'ai l'habitude de passer mes vacances d'été en Scandinavie, puisque mes grands-parents et mon oncle y habitent toujours. Cette année, ça ne m'enchante pas du tout. J'aurais préféré rester ici et faire la fête avant mon entrée universitaire. Mais ces dix jours seront vite passés.

À quatre ans déjà, je voulais être comédienne, ou plutôt actrice (c'était déjà plus noble dans mon jeune vocabulaire). J'avais le verbe bien actif et l'audace encore plus. J'avais les cheveux blonds et bouclés, les yeux verts et le bonheur inondait mon visage. On m'a souvent raconté ces instants où je prenais ma place. Enfin… toute la place. Au restaurant, je montais volontiers sur les tables et j'entamais l'*Ô Canada* – ma chanson fétiche à l'époque, Dieu seul sait pourquoi ! – à pleins poumons en me foutant bien de ma mère, qui essayait de me faire descendre de ma tribune. C'était craquant, disait-on alors. J'étais une petite fille parfaitement parfaite, qui avait l'estime de soi au plafond et qui ne se retenait ni de vivre ni d'être.

Ma maman a quitté son pays natal lorsqu'elle a rencontré mon père, un Québécois pure laine. Ce dernier travaillait sur les bateaux de marine marchande en Angleterre dans sa jeune vingtaine et, lors d'une escale à Malmö, en Suède, il s'est arrêté dans une fête. J'aime raconter cette histoire. C'était une fête bien arrosée au cours de laquelle un gros homme poilu et ivre a titubé vers ma mère. Le voyant s'avancer vers elle de peine et de misère, ma maman s'est tournée vers sa gauche et a attrapé la main du mec le plus proche.

— *You ! Dance with me !*

C'était mon père. Ils ne se sont plus jamais quittés.

J'aime mes parents, mais j'ai souvent l'impression de ne pas être à la hauteur. Je les ai entendus répéter à maintes reprises : « Où est passée notre petite fille joyeuse, rayonnante et si gentille ? » Cette petite fille avait douze ans lorsqu'elle a disparu et je pense bien que je la chercherai tout le reste de ma vie.

Mon entrée à l'école secondaire a kidnappé cette radieuse petite blonde pleine d'assurance, se tenant droite et faisant confiance à tout le monde. Ce passage a été un supplice : quatre années à vomir chaque matin avant de quitter la maison pour entrer dans cet autobus jaune qui me conduisait vers un calvaire. J'ai souffert d'intimidation à m'en ouvrir les veines. Une bande de jeunes filles m'a brisée et a détruit mon estime de moi.

Heureusement, cela fait deux ans maintenant que le secondaire est terminé. Je ne sais pas si j'ai fait la paix avec cette vie, mais du moins je l'ai enterrée. Après le secondaire, je me suis assurée de choisir un collège anglophone dans lequel aucun élève ne me connaissait. Un renouveau, le meilleur choix de ma vie. J'y ai un peu renoué avec le bonheur, et ma personnalité a retrouvé l'estime et la dignité nécessaires à mon évolution.

À la maison, nous sommes trois filles. Je suis celle du milieu, la rebelle qui cherche toujours sa place. À dix-huit ans, je m'engueule encore avec ma grande sœur. Nous avons un an et demi de différence d'âge et nous ne nous sommes jamais bien entendues : jalousie, taquineries, mensonges, envie et coups bas sont notre lot. Pourtant, je suis persuadée qu'il existe entre nous un amour inconditionnel, il est probablement juste bien caché. J'essaie de me convaincre que ma sœur Victoria a une place pour moi quelque part dans son cœur. Avec ma petite sœur, c'est différent. Elle est le bébé de la famille. Elle a toujours eu tout cuit dans le bec. Elle n'a pas eu à parler avant l'âge de trois ans, car Victoria et moi, au moindre balbutiement de sa part, nous nous précipitions pour exaucer ce que nous pensions être son désir. Comme elle est de quatre ans ma cadette, je l'ai surprotégée et je me suis assurée que son passage à l'école serait tout autre que le mien.

TOTAL ECLIPSE
OF THE HEART

L es journées passent, je suis de retour de mon voyage en Scandinavie dont je n'ai pas profité le moindrement. Qui a parlé d'instant présent ? J'étais constamment dans ma tête à rêver à M et à son visage délicieux. Je ne voulais qu'une chose : rentrer au plus vite à Montréal afin de consulter mon télé-avertisseur – gadget désormais de la préhistoire – pour entendre les messages de mon homme. Mais je n'ai eu droit à aucune déclaration sulfureuse ni à aucun mot magique. Le néant, que dalle, rien. *Total Eclipse of the Heart.* Avant de partir pour l'Afrique, il avait résilié son bail et devait emménager dès son retour près de l'université dans un nouveau logement. Je n'avais donc aucun numéro de téléphone où le contacter. Angoisse, panique et attente : je suis inconsolable.

Madame Phéromone

Septembre. J'ai travaillé tout l'été au bureau de mon père à entrer des codes de conteneurs provenant de bateaux étrangers. J'ai détesté ce boulot. Comédienne dans l'âme, j'adore les lettres mais je hais les chiffres. J'entamerai mes études universitaires en scénarisation dans quelques jours et, en parallèle, je prépare mes auditions pour les grandes écoles de théâtre. Je vise l'École nationale de théâtre du Canada, rien de moins. Je suis toujours en processus de deuil, car M s'est éclipsé. J'ai des papillons plein l'estomac. Je sais bien que je risque de le croiser à l'université et j'espère obtenir des réponses à mes questions ou, du moins, une bonne explication. J'ai tant de mal à faire une croix sur notre histoire, aussi courte fût-elle. Je ne comprends pas comment quelqu'un peut me repousser, moi, que tant de mecs courtisent. Mon ego en a pris un sale coup.

J'habite toujours chez mes parents et mon gentil papa a pour mission de nous déposer, ma sœur aînée et moi, à l'université avant d'aller travailler. Jour J, la voiture nous laisse devant les grosses portes de la bâtisse brune du centre-ville et mon père nous souhaite bonne chance pour la rentrée des classes. Ma sœur file vers l'entrée sans m'attendre. C'est du déjà-vu. J'aurais tant souhaité qu'elle arpente avec moi les corridors de ce nouveau lieu et qu'elle m'aide à affronter mon angoisse. Malgré le temps qui s'est écoulé depuis mon secondaire, le premier jour dans la jungle scolaire demeure une source d'anxiété profonde et me ramène instantanément au moment où je montais les marches de l'autobus jaune avec une envie pressante de régurgiter mon petit-déjeuner. La peur d'être intimidée ne m'a toujours pas quittée et je tremble à l'idée d'ouvrir les portes de cette nouvelle école. Je devrai donc, encore une fois, franchir cette étape seule, me forger une carapace et porter une armure de guerrière invisible.

Ma première classe est intéressante. L'enseignante, Mme Veilleux, nous répète qu'elle n'accorde jamais de A+. C'est noté. Je roule les yeux vers le plafond et je me promets de bosser dur pour obtenir ce fameux A+.

Le cours terminé, j'ai une heure à tuer avant le suivant, je me dirige donc vers le café universitaire, mon nouvel endroit de prédilection, lorsqu'une étrange sensation de brûlure me parcourt l'échine. Je sais qu'il n'est pas loin. Café dans une main, clope dans l'autre et bouquins empilés sur la mini-table du lieu enfumé, j'essaie de relaxer et de faire fi de cette étrange sensation. Ce fameux sixième sens, je l'ai toujours eu. Mon troisième œil picote et mes oreilles bourdonnent lorsque les astres veulent me prévenir. Ma mère est pareille, je tiens ça d'elle.

M est là, accompagné de sa bande. Tous se dirigent vers le comptoir où quelques tabourets sont libres. Je sens le rouge me monter au visage. J'ai chaud, je ne sais plus si je dois être vue ou pas. Ce moment que j'attends depuis plus de deux mois est enfin à ma portée. Il faut qu'il me voie. Il doit me voir. J'ordonne à l'univers qu'il se tourne vers moi.

Ce matin, j'avais pris soin de maquiller mes yeux et de lisser mes longs cheveux blonds. Je porte une jupe courte et des talons mi-hauts. Je voulais être à mon mieux sans que les efforts paraissent, juste au cas où je tomberais face à mon homme.

J'éteins ma cigarette et je me plonge dans un bouquin. Je n'arrive pas à me concentrer. Je relis la même phrase maintes et maintes fois. Du coin de l'œil, je peux le voir, le scruter, toujours en faisant semblant de lire. Je le sens s'approcher et, du coup, il est là, debout face à moi. Je lève les yeux et mon visage s'empourpre davantage. Il est magnifique, le teint un brin plus basané que dans mon souvenir. Il porte un jean classique et un gilet couleur terre avec un col en V qui dénude le haut de son torse imberbe. Le feu embrase instantanément mon entrecuisse, un tremblement de terre envahit mes jambes, des éclairs électrocutent mon âme. Il sourit tout bonnement et lance un «Bonjour» nullement désinvolte. Un «Bonjour» totalement senti, complètement assumé. Ses billes noires se vissent dans le vert de mes yeux et volent mon souffle. Je ne sais pas si je suis en colère, si je suis gênée ou simplement estomaquée par sa présence.

Je lui rends son «Bonjour» avec un faux semblant d'assurance et de dignité et lui offre de s'asseoir à mes côtés, ce qu'il fait sans hésitation.

Monsieur M, mon Monsieur M est assis tout près de mon corps, qui s'enflamme jusqu'à l'intérieur de mon centre. Il m'embrasse sur les joues, trop près du coin de ma bouche, doucement, lentement. Ça fait mal. J'ai envie de lui saisir la nuque et de planter mes lèvres sur les siennes, passionnément. Il sent si bon, il est si beau. Mystère, toujours ce mystère. Lui, tout entier, à ma portée… finalement. Côte à côte sur la banquette, nos bras se touchent à peine, mais ce léger courant me fait frissonner jusqu'au plus profond de mon épiderme. Madame Phéromone danse entre nous.

Son silence est tel que je dois oser un mot afin de faire taire ce moment de malaise. J'ai tant envie et besoin de savoir. M revisse ses pupilles dans les miennes et, comme il en avait l'habitude, il se penche vers moi pour me chuchoter à l'oreille. Tous mes sens sont en alerte. Je suis à l'affût de chacun de ses mots. Il parle si bas que ma concentration doit être extrême et affûtée.

Il savait qu'il me croiserait aujourd'hui et, depuis son retour, il n'a pensé qu'à moi. Son silence était dû à cette sensation goûteuse provoquée par l'envie de me revoir et il voulait faire durer ce plaisir. Il s'est infligé cette douleur. Il m'intrigue. Cette explication me prend de court, mais je suis flattée et heurtée à la fois. Et moi dans tout cela ? Il n'a pas pensé à mes sentiments ?! Bien sûr que si… M voulait me revoir et il espérait que ce serait aujourd'hui. Pourtant, il y a des milliers d'étudiants dans cette université, nous aurions pu avoir des cours dans différents pavillons. Il est peut-être aussi sorcier que moi…

— J'ai beaucoup pensé à toi ces derniers temps, tu sais.

Ah oui ? Il a pensé à moi ? J'aurais bien aimé le sentir. Il ne m'a donné aucune nouvelle depuis son retour, je n'étais vraisemblablement pas sa priorité. Être la priorité de quelqu'un n'est pas une notion qui m'habite, je n'ai jamais été la priorité de personne, pas même de moi-même, ayant toujours fait passer les autres avant moi. Je lui ouvrirai donc mon cœur, « mon moi », et je le laisserai entrer et voler mon âme.

Il reste peu de temps avant mon prochain cours, je n'ai aucune envie de le quitter. Je suis heureuse, amoureuse. Il m'attendra après mes classes pour me faire visiter son nouvel appartement.

LUI, LE GOUROU, ET MOI, L'ADEPTE

M est devenu ma raison de respirer et, moi, la sienne. Tous les matins, à l'insu de mon père, je me faufile dans le petit appartement de la rue Saint-Denis où mon bourreau de cœur a établi son domicile fixe. Un minuscule logement d'une pièce et demie à quelques pas de l'université, tapissé d'affiches de James Dean, équipé d'une table ronde, de deux chaises et d'un lit. Dans la cuisine, un chétif poêle rouillé semble se plaindre aux côtés d'un vieux frigo jaune qui gronde sans cesse. Je me glisse dans les draps et me colle à la peau de M, encore toute chaude de sommeil, et je m'endors sur son épaule pour quelques instants avant mes classes.

Souvent, son ami Chafik squatte l'appartement et dort aussi dans le lit trop petit. À dix-huit ans, on s'en fout, un rien nous satisfait. Il n'y a pas de limites, c'est juste «ici et maintenant». Je vais à mes cours, mais la matière ne m'intéresse plus du tout. Je préfère les escapades avec M et sa bande de voyous, tous des étudiants étrangers venant du même patelin, qui sèchent aussi les classes. Nous allons à l'arcade pendant des heures, nous flânons dans les rues de Montréal et dans les cafés de chicha.

Je m'habille un tantinet *sexy*, toujours à mon *top*. M adore se pavaner à mes côtés, il me trimbale partout et nous sommes en totale fusion.

M me captive et m'impressionne encore plus chaque jour. Il est un conteur hors pair et je ne me lasse pas de l'écouter pendant des heures d'affilée. Il connaît tout, sait tout. Il me révèle sa fascination pour les requins, surtout le grand requin blanc, il parle de philosophie, de Socrate, de littérature, de Baudelaire. Il raffole surtout des *Fleurs du mal* et m'en récite des passages en faisant jouer en boucle la musique de Pierre Bachelet, dont je connais désormais chacune des paroles. Il me trouve si belle, si élégante qu'il me répète sans cesse que je viens d'ailleurs et que je ne suis pas comme toutes les autres filles. Je suis unique, personne n'a ma finesse. J'éprouve une combinaison de fierté et de vanité, je suis son roc et je suis glorieuse d'être la femme qu'il a choisie.

Ses amis sont toujours autour et, parfois, une étrange idée que je balaie du revers de la main s'empare de moi: M serait le gourou d'une secte. Je frissonne en pensant à cette comparaison. (J'ai d'ailleurs souvent utilisé par la suite cette image pour décrire notre relation. Lui, le gourou, et moi, l'adepte.)

Lors de ces réunions amicales, M prend possession d'une des deux chaises meublant son logement et me dédie l'autre. Deux trônes. Nos trônes. Ses disciples s'assoient sur le lit ou carrément par terre. J'allume une chandelle comme unique éclairage et il nous instruit. Il nous enseigne sa philosophie de vie, relate des événements politiques et crache sur les États-Unis. Nous n'osons jamais le contredire, car il nous assomme avec ses mots judicieusement choisis et se donne un malin plaisir à rabrouer les propos des autres. M a toujours raison et ce que nous disons est toujours con. De mon côté, je demeure silencieuse et j'avale ses paroles en les incorporant à mon quotidien.

Dans mes cours, je participe aux débats et je m'aperçois que, si j'utilise les mots de M, mes collègues n'arrivent pas à argumenter. Avec eux, je me sens forte, mais devant lui je ne fais qu'acquiescer, car je n'ose m'aventurer, de peur de prononcer une absurdité. Il a aussi tendance à me prendre en exemple. « Un visage est beau quand il est découpé au couteau, comme le sien », dit-il. Je suis si heureuse que mon visage soit découpé. Pauvre Bachir… Le sien est aussi rond qu'un cochon. J'ai peur qu'il se découpe les joues à la machette pour atteindre les standards de mon M. Quand il retourne dans sa ville natale, c'est pareil. Il s'assoit dans le grand fauteuil du studio et, mis à part son ami Ahmed, qui a le droit de poser son postérieur sur le pouf, les autres doivent prendre place comme ils le peuvent et, une fois qu'ils sont installés, M commence son monologue. Il adore user de ce pouvoir d'enseignant.

Petit à petit, sans que je m'en rende compte, M place judicieusement ses pions autour de moi. Le cavalier, la tour et le fou m'encerclent dangereusement et ils me piègent sournoisement, me rendant dépendante de lui. N'ayant jamais appris à jouer aux échecs, je m'engouffre peu à peu dans son univers, sans guetter le stratagème qui se dessine et prend forme subtilement jour après jour.

Plus les semaines passent, plus l'incompréhension devant cet être augmente dans mes tripes. Il ne veut toujours pas rencontrer ma famille, car il trouve inadmissible de donner de son temps à mes parents alors qu'il ne peut voir les siens. « Mais les tiens sont si loin et les miens si proches », lui dis-je. « Non, répond-il, tu ne comprends rien à rien. » Alors je me tais et je me convaincs que ce n'est pas essentiel qu'il rencontre ma famille, sachant très bien que ces derniers sont inquiets de ne pas savoir avec qui je passe la majorité de mon temps. Je trouve donc des excuses et j'enclenche instinctivement mon mécanisme de défense, lequel j'ai forgé et aiguisé depuis mon adolescence.

Je me fâche contre ma mère et mon père, qui laissent tomber facilement la discussion. (J'ai compris très tôt que je n'avais qu'à me mettre en colère afin de clore une discussion avec mes proches, ce qui servira maintes fois plus tard à me protéger contre ma douleur.)

M ne supporte pas non plus mes amies et préfère que nous passions du temps avec les siens, car, selon lui, mes fréquentations n'ont pas une bonne influence sur moi. Je commence à croire qu'il a raison, que mes amies (sans parler de mes amis « i », qui n'ont pas le droit d'exister) sont néfastes et, comme M le dit si bien, qu'elles ne sont pas à la hauteur de ce que je suis. D'ailleurs, nous ne sortons presque plus dans les *clubs* branchés ni dans les soirées privées. Je ne m'en plains guère, car j'évite ainsi de confronter les autres déesses qui ne se gênent pas pour poser leurs yeux sur lui.

Une partie de trop

Novembre. Il fait gris, les nuages grondent le ciel et le vent se lève, devenant de plus en plus fort. Je marche dans la gadoue avec mes petits bottillons mignons, mon écharpe vole au vent et ma longue chevelure dorée fouette mon visage. M m'entoure les épaules de son bras et me fait sentir entièrement à lui.

Nous entrons à l'arcade et la proprio russe l'accueille de son français chantonnant et accentué. Elle me regarde à peine. Cette vipère tourne autour de mon M. Je la maudis. Elle l'invite pour une partie de baby-foot et il me laisse de côté pour se mesurer à elle. Je les vois rire et se taper dans la main lorsqu'ils font un bon coup. « Tu as juste à apprendre à jouer », me dit-il. Mon orgueil en prend une volée.

M a cet énorme besoin de plaire, de charmer, toujours et encore. J'essaie de garder ma dignité, mais je vois bien le petit jeu de séduction qui se déroule sous mon regard de louve. Au début, je tente de me montrer mature et indépendante, mais leur jeu finit par me rattraper. Une partie de trop.

Une forte émotion me prend au dépourvu. Ma poitrine se bombe et ma tête se redresse. Non ! Il est hors de question de subir cette humiliation. Mon mec se fait draguer dans ma face et il charme sans retenue cette femme qui n'a rien de mieux que moi. Ma rage grimpe. Je sens la frustration monter le long de ma colonne vertébrale. Je refuse de vivre une seconde de plus ce sentiment de rejet. Trop, c'est trop. Je suis Sophie et je mérite d'être la prunelle des yeux de mon homme.

En furie, je quitte la place sans me retourner et sans explications. Je fuis avec la certitude que mon M sortira derrière moi pour me rattraper, me demandant ce qui ne va pas, me rassurant pour ensuite m'emmener loin de cet endroit. Une utopie à laquelle j'aurais aimé croire, mais, au contraire, il m'a laissée partir. J'arpente les rues de Montréal, me sentant autant écrasée et rabaissée que perdue. Mon exil dure une bonne vingtaine de minutes et, faisant sourde oreille à ma voix intérieure, je retourne sur les lieux de l'incident, ayant trop peur de le perdre.

Lorsque j'entre dans l'arcade, son aura a changé : sa colère est évidente et, même s'il ne laisse rien transparaître, je sens ses vibrations. Il termine sa partie, embrasse la Russe trop près de la commissure des lèvres et empoigne mon avant-bras. Je n'ai pas le droit de partir ainsi sans l'avertir ni lui mentionner ma destination. Il me trouve idiote et bébé… Je me trouve idiote et bébé. C'est la première fois que je ravale mon orgueil et que je le laisse m'humilier de la sorte. Il a désormais cette emprise sur moi et ce pouvoir de me piler dessus comme bon lui semble.

Il y a cette Égyptienne aussi. Yasmine. Yasmine est un bloc de glace. Elle est immensément grande et très maquillée. Son trait d'*eye-liner* noir est large et trop accentué, sans parler de son mascara en grumeaux, de ses joues peintes en rose bonbon. Ses repousses noires de fausse blonde m'horripilent. Son visage est rond et boursouflé, sa peau porte les cicatrices d'une adolescence bourgeonnante. Une lionne habillée en léopard. Je ne suis pas trop au parfum de la relation que M entretient avec elle. Il me dit que c'est une amie et, ne désirant pas passer pour une jalouse à ses yeux, je ne pose pas de questions malgré mon sentiment d'envie envers l'attention qu'il lui accorde. Elle me déteste et je la sais amoureuse de mon M. Yasmine était présente lors de ma toute première rencontre avec lui. Elle faisait partie de son groupe d'amis, je l'ai entrevue rapidement ce soir-là avant de tomber dans les ficelles de mon homme. Elle m'avait fusillée du regard.

Souvent, M, qui n'a pas un rond, reçoit de la Yasmine des cadeaux que je juge inappropriés : un jean Diesel, une montre Armani. Elle remplit son frigo, lequel crie trop souvent famine. Je sais qu'une nuit, au cours des dernières semaines, il a dormi chez elle. Elle insistait, il avait trop bu, le métro était fermé et il n'avait aucun autre recours, mais, m'a-t-il juré, il s'est endormi habillé sur le canapé. J'ai douté de la véracité de ses propos, sachant qu'il a une dette envers elle et qu'il irait jusqu'à lui donner ce qu'elle veut afin de continuer à recevoir ces présents coûteux. J'ai vite fait de chasser cette image de mon esprit, préférant croire à mon conte de fées.

Hier, mon téléavertisseur contenait un message de Yasmine, dont la voix est rauque et un brin masculine. Elle me menaçait de me casser en deux si je ne rompais pas avec M, qui est sa propriété et son territoire, selon elle. Stupéfaction, incompréhension, ébahissement. Menace de mort et amas de mots vulgaires sur ma machine. Mais cela fait des mois que nous sommes ensemble, lui et moi, comment ose-t-elle me demander de déguerpir de ce territoire qui est le mien ? J'ose confronter mon homme sur le sujet. Hors de lui et tel un guépard fulminant, en rage, il me promet qu'il prend le dossier en main et que plus jamais elle n'importunera sa «femme».

Le lendemain, après mon cours, je gambade dans la rue, comblée et radieuse de rejoindre mon mec chez lui. J'arrive à l'instant où le bloc de glace dévale hâtivement les escaliers de l'appartement. Elle bout. Mon cœur commence à livrer une bataille dans ma cage thoracique. J'ai le pressentiment que quelque chose de violent s'apprête à émerger. Sans avertissement, M sort derrière elle et m'ordonne d'un aboiement d'entrer dans l'appartement. Elle passe trop près de moi et j'évite un plaquage corps à corps. M aboie de plus belle. Elle court désormais dans la rue et il la poursuit. Je me précipite à l'intérieur, parcours les corridors sombres de l'immeuble et me réfugie dans notre cabane. Le chaos règne. Des assiettes brisées jonchent le sol, une chaise est renversée, des jeans Diesel sont déchiquetés. Le guépard a juré… soit.

J'attends et je tremble, le dos contracté et les épaules raides. Les minutes s'enchaînent et forment des heures. Il fait nuit maintenant et je suis sans nouvelles, aucun signe de vie de personne. M ne possède toujours pas de téléavertisseur ni de cellulaire, donc nul moyen de le joindre. Je m'allonge sur le lit, essayant de fermer l'œil, et je m'assoupis malgré moi.

La porte s'entrouvre finalement et mon M se faufile dans la chambre, ce qui me sort de mon léger sommeil. Le cadran mentionne 6 h 23. Désorientée, je m'applique à être à l'écoute de ce qu'il aura à me raconter. Il est blême et fatigué. Il a traqué Yasmine jusque dans une ruelle et, après une dispute intense et vive pendant laquelle elle lui a asséné une claque, il a répliqué en lui fracassant le visage. La police est intervenue, appelée par un piéton. Il a passé la soirée et la nuit incarcéré. Heureusement, Yasmine n'a pas voulu déposer de plainte formelle.

Je suis sous le choc. Je m'abstiens de commentaires. Je suis fière qu'il m'ait défendue, mais cette violence prend d'assaut mes pensées. M s'empresse de me rassurer. Il a besoin de moi et me promet que plus jamais elle ne me menacera. Il est mon plus vaillant protecteur. Nous nous endormons dans la synergie de nos corps, de notre peau, de nos odeurs.

LA TIGE SANS ÉPINES

Mes larmes ont coulé pour cet homme lors de sa disparition cette nuit-là, mais je n'oublierai jamais l'événement qui a laissé la toute première empreinte de doute concernant la stabilité émotionnelle de mon M.

Je l'avais une fois de plus rejoint dans son appart après une journée d'examens auxquels j'étais persuadée d'avoir échoué. Je ne sais pas s'il est allé à ses cours ce jour-là. Il m'a ouvert la porte et je me suis faufilée dans sa caverne. Il devait être 19 heures, mon père avait sûrement quitté le bureau pour la banlieue. J'aurais pu prendre le bus, mais j'avais la ferme intention de passer la nuit avec mon homme. Habituellement, nous nous embrassions éperdument à chacune de nos retrouvailles après avoir passé quelques heures sans la compagnie de l'autre. S'ensuivait une escapade au septième ciel où il me kidnappait d'emblée.

Il m'ouvre la porte et ne m'adresse pas la parole. Il se rassoit sur son lit, sans dire un mot. J'essaie tant bien que mal de lui demander ce qui ne va pas, de le faire parler, mais la musique trop forte enterre mes paroles. Et lui ne dit toujours rien.

Muet comme une carpe. Je ne trouve donc qu'une solution : m'allonger à ses côtés et lui transmettre ma saine énergie en attendant qu'il se dégage de ce mal-être. Il ne me regarde pas. Ses yeux hagards me fuient. Je laisse le temps passer, silencieuse, essayant de me faire discrète, bougeant à peine. Après trois heures d'un inconfortable silence, il se lève et m'annonce qu'il dormira chez un de ses amis, car, s'il reste, il retirera une à une mes épines et brisera ensuite ma tige. J'ai compris sa métaphore. Un avertissement qui aura eu raison de la suite de mon existence.

Je le supplie de me parler, de me dire, de me raconter. Sans répondre à mes questions, il quitte le logement. Je n'éteins pas la musique. Un ruisseau de larmes se déverse sur mes joues. Qu'ai-je fait pour mériter cet abandon inattendu et pourquoi ne suis-je pas partie à ce moment ? Où est mon estime de moi ? J'aurais pu prendre un taxi, dépenser soixante balles et reprendre par la même occasion mon pouvoir. Ce n'est pas cher payé pour garder sa dignité. J'aurais dû… oui. Si seulement j'avais pu.

Il y a matière ici pour une psychanalyse et une analyse psycho pop 101. Tout ce syndrome du manipulateur, je ne le comprendrai que plus tard. Un syndrome qui s'installe insidieusement dans le couple sans crier gare. Une pathologie morbide qui s'infiltre sournoisement, discrètement, sans bruit, sans faux pas. Une étape à la fois, elle avance et s'immisce entre le gourou et l'adepte.

Il est revenu quelques heures plus tard, comme s'il n'était jamais parti, sachant fort bien que je

serais encore là pour lui. Aujourd'hui, j'enrage
lorsque je me souviens de cette époque, mais, à ce
moment, la petite fille que j'étais fut soulagée de
son retour. Après la crise, la lune de miel. Toute une
lune de miel. Une seringue remplie de poison qui
s'infiltre directement dans mes veines et qui gèle
mes mauvais souvenirs.

JUSQU'ICI TOUT VA BIEN

M e Savoie prend des notes. Je me demande ce qu'il peut bien trouver à écrire sur mon histoire. Jusqu'ici tout va bien. Je suis une jeune femme qui est tombée amoureuse d'un homme un tantinet étrange, voilà tout.

Mourir. Partir. Sombrer. Les médicaments englou-tissent mon mal. Ma tête est si lourde. Je m'éteins, tel un pantin sans ficelles. Le marionnettiste s'est envolé. Inanimée sur le sol glacial, je sombre dans les abîmes du nowhere.

MON DERNIER NOËL

24 décembre 2000. Noël. J'aime Noël. En réalité, J'ADORE Noël : la magie, la fête, les cadeaux, l'éternel buffet de gravlax, le hareng, les saucisses, le *janssons frestelse* de ma mère, le sapin, la maison familiale dans la montagne, les chansons et la guitare de mon père. Noël, c'est la joie, c'est l'amour, et de plus Monsieur M m'accompagne ! Il n'a pas d'autre choix que d'accepter leur invitation s'il veut m'emmener visiter son pays ; notre départ pour l'Afrique est prévu pour le surlendemain de Noël.

J'ai l'habitude de voyager depuis toujours. Mon père et ma mère ayant fait le tour du monde, ils nous ont fait voir la Scandinavie au grand complet, les États-Unis, l'Italie, l'Espagne, l'Angleterre, la Jamaïque.

Pour mes parents, j'ai une chance incroyable de pouvoir visiter l'Afrique. Ils n'y voient aucune objection, d'autant que le charme de M opère aussi sur eux. Il séduit aussi bien qu'il respire. Il a l'art de gagner la confiance et de répondre avec une note parfaite à toutes les questions de la *famiglia*. À mon tour de me pavaner fièrement au bras de mon amoureux et de ressentir un accomplissement, alors que mes sœurs admirent autant le riche vocabulaire de mon M que son charisme subjuguant. M me contemple de ses yeux brillants, il n'y a que moi qui existe. Il a bonne mine et, depuis l'incident du silence éternel, nous vivons un paradis sans fin. L'excitation est à son comble puisque notre départ est imminent.

ATTERRIR
LES YEUX FERMÉS

Dans l'avion d'Air Canada, tassés comme des sardines dans une boîte de conserve, nous entamons la descente vers Paris pour une escale de quelques heures. J'aime Paris autant que Noël. Je rêve de Paris, je veux être une actrice parisienne qui mange du pain baguette au beurre le matin et qui boit du champagne comme s'il n'y avait plus de lendemain. Elles sont caricaturées comme ça, les Parisiennes : de petits appétits, de petits formats et du vin à chaque repas. J'aime. *I like. Thumbs up.*

Après notre brève escale sur le territoire français, où nous avons continué à planifier les derniers détails de notre voyage, un avion plus petit nous entraîne ailleurs, dans un univers que je n'arrive pas à imaginer. Je suis fébrile et excitée à l'idée de me poser sur cette terre inconnue. M'étant documentée sur le pays que je me prépare à visiter, je sais que je m'apprête à vivre une expérience hors du commun. Je sais que les mœurs et les coutumes sont totalement différentes de celles de mon pays occidental, même si M me fait croire le contraire. «Mon chez-moi est émancipé maintenant, m'a-t-il dit, et les femmes sont libérées. Nous sommes désormais aussi occidentaux que vous.»

Il m'apprendra que toute manifestation religieuse est interdite et n'a pas lieu d'être, sauf pour la prière et les rassemblements à la mosquée cinq fois par jour. *Idem* pour la barbe et le voile, lesquels furent bannis des lieux publics lors d'un décret dans les années 1980 afin de faire reculer l'islamisme. Les vieilles dames portent encore le foulard, mais il s'agit d'un symbole traditionnel plus que religieux, donc accepté par les autorités. J'aurais peut-être préféré le contraire, moi qui suis toujours prête à me jeter les yeux fermés dans de nouvelles expériences.

Je saurai bien assez tôt ce qu'il en est.

L'avion amorce sa descente vers le pays du sable. Bientôt, je connaîtrai de fond en comble cet aéroport que je fréquenterai malheureusement trop de fois.

De mon hublot, la vue est spectaculaire. À travers les nuages, je vois tout d'abord la mer Méditerranée, dans laquelle je compte bien me baigner, et j'observe les champs d'oliviers à perte de vue, entravés par des routes de terre. Du haut du ciel, je suis éblouie par les somptueux sites archéologiques, héritages de la colonie romaine, abritant amphithéâtres et colisées qui me plongent au cœur de l'Antiquité. Je remarque les maisons carrées blanches de la ville dans laquelle notre bolide volant plonge à vive allure. Un spectacle blanc et bleu défile sous mes yeux. Un énorme lac entouré de palmiers borde la piste d'atterrissage. M me prend la main fermement lorsque les roues touchent le sol. Je me retourne vers mon amoureux, qui tente de contenir les larmes qui lui montent aux yeux. Je n'ai jamais vu mon homme devenir si fébrile et démonstratif. Je lui caresse doucement l'avant-bras et lui transmets ainsi tout l'amour que j'ai pour lui.

L'aéroport étant de taille modeste, le passage aux douanes se fait rapidement. Je m'attendais à une chaleur suffocante, mais c'est plutôt une froide brise d'air conditionné qui nous accueille, me faisant apprécier mon gilet de laine tombant sur mes épaules. Le visage parfait de mon M s'illumine davantage lorsqu'il me mentionne que son père est droit devant nous. Discrètement et dignement, il me le pointe du doigt ainsi que son petit frère qui l'accompagne. Ils nous attendent non loin de la sortie.

Accrochée au bras de mon M, j'approche ces inconnus qui feront partie de ma famille. Surprise, je constate que papa M est beaucoup plus petit que mon mec, beaucoup plus gros aussi. Un petit gros trapu à la calvitie avancée. *Peut-être que la beauté de mon homme provient de sa mère*, pensé-je. Lorsqu'il me salue timidement, je note une tout autre expression dans ses yeux. Son regard est doux. Pareil pour mon futur beau-frère. Je suis étonnée de découvrir qu'il ne possède pas non plus la beauté divine et parfaite de son aîné. Au contraire, il est pataud et arbore des taches de rousseur qui picotent son visage extrêmement rond. Des cheveux foncés, épais et bouclés tombent maladroitement sur ses joues gonflées. Mais ses yeux… des yeux d'une tristesse et d'une profondeur troublante. Mon M, lui, a une noirceur dans le fond du regard. Un trouble, un mystère, un non-sens qui m'envoûte.

Je sens aussitôt la dynamique hiérarchique de force et de faiblesse qui existe entre les deux frères. Moncef baisse automatiquement les yeux quand M lui donne un puissant coup de poing sur l'épaule, comme si ce geste était un rituel entre eux. Moncef esquisse un sourire gêné en se frottant là où se formera sûrement une ecchymose. M rit aux éclats et lui serre la tête dans le creux de son coude comme dans un étau, la penche vers l'avant et ébouriffe avec vigueur les cheveux de son petit frère, qui lui demande d'arrêter.

Si ma grande sœur m'avait humiliée de cette façon devant son nouveau copain, je lui en aurais voulu pendant des jours.

M relâche son frère. Moncef relève la tête, les joues empourprées, et la honte inonde ses taches de rousseur. Le pauvre, il avait pris soin de placer ses cheveux avec un surplus de fixatif en gel, mais il est maintenant totalement décoiffé, ce qui lui donne une allure ridicule. Il s'empresse de les replacer, mais en vain. Après cette accolade inhabituelle, je suis enfin présentée au frère, qui marmonne un bonjour quasi inaudible. Je fais en sorte de lui démontrer par mon regard franc et mon sourire accueillant que je le respecte malgré l'accueil déplacé de M. Je l'ai aimé sur-le-champ, ce Moncef.

Papa M nous offre un café à emporter, lequel j'accepte volontiers. Le café ici fait déshonneur à celui de chez moi. Il est fort et délicieux. Un peu trop sucré, mais corsé à souhait.

Ce n'est qu'à la sortie de l'aéroport que le vent chaud a glissé jusqu'à ma peau blanche. On est en décembre, mais le thermomètre indique qu'il fait vingt degrés, ce qui me pousse à retirer mon gilet de laine pour dénuder mes épaules. D'emblée, les magnifiques palmiers me font me sentir en vacances. Nous montons dans la voiture, une grosse Mercedes beige des années 1980. M et moi prenons place sur la banquette arrière, laquelle est immense et très confortable. Nous avons une longue route à parcourir. Une fois que nous sommes bien assis, nous baissons les vitres, puis la voiture démarre à destination de la maison familiale, qui se trouve à cinq heures de route.

L'ARRIVÉE DU PETIT ROI

Nous sillonnons les chemins de terre. Les paysages défilent devant mes yeux grands ouverts, qui captent ce nouveau décor si différent de tout ce que j'ai connu auparavant. Je suis touchée par la pauvreté du pays dès que nous quittons la capitale. À la sortie de la ville, des bleds aux hauts immeubles déchus et défraîchis semblent avoir voulu protéger la cité. Au fil du temps, le blanc des murs est pratiquement devenu gris. Certaines vitres sont fracassées, les nombreuses ordures empilées le long des clôtures de fer entourant les bâtiments laissent croire à un début de dépotoir et des enfants portant des vêtements en lambeaux quémandent au bord de la route. Tout cela me pince le cœur.

Nous laissons cette vision derrière nous et la voiture reprend de la vitesse sur la route cahoteuse. Des ânes traînant des carrioles ébréchées et des hommes au teint basané, portant souvent un bout de tissu autour de la bouche afin d'éviter la poussière que les voitures sèment sur leur passage, emplissent à leur tour mon cerveau de nouvelles informations.

Ma vessie me crie qu'elle a une envie de plus en plus urgente. Je me détourne de la fenêtre et délaisse quelques instants le paysage qui ne finit plus de m'ébahir afin de mentionner à M que, à la prochaine sortie, je ferais bien un arrêt pressant. Mon mec me demande si je peux patienter, car contrairement à mon monde occidental, ici il n'y a pas de halte routière. Je n'en peux plus. Je lui demande si nous pouvons arrêter au bord de la route afin que je puisse me soulager dans un champ qui borde le chemin, mais cette option est hors de question, car il y a des chiens. « Mais les chiens ne me mangeront pas, lui dis-je. J'aime les chiens. »

Oui, j'aime les chiens et les salauds malheureusement, mais ça, je ne le sais pas encore.

Les chiens en Afrique sont tous des bâtards. Ils ne sont pas comme nos animaux de compagnie occidentaux qu'on aime tant dorloter. Ils sont plus loups ou hyènes que chiens. Le champ n'est pas une option, c'est extrêmement dangereux et, oui, ils me mangeront, m'affirme-t-il. De plus, ni les femmes ni les hommes ne peuvent se soulager dans un champ, même derrière un arbre. M serait déshonoré devant son père et son frère. Effectivement, il a raison. Je ne suis pas chez moi, où ce geste n'aurait eu aucune répercussion. Ici, c'est différent.

Il fait presque nuit. Une station-service se trouve à proximité. Je devrai me retenir pendant encore une trentaine de minutes. J'essaie de mon mieux, mais mon corps n'en peut plus. Nous arrivons finalement à un semblant de poste de distribution d'essence dont le toit menace de s'écrouler. Les toilettes sont derrière. La voiture est à peine arrêtée que je *sprinte* telle une marathonienne en fin de course vers l'arrière du pauvre immeuble. C'est rudimentaire : une porte en lattes de bois moisi sans serrure, aucune lumière et un trou à même le sol. Des coquerelles se sauvent autour de mes pieds lorsque j'ouvre la porte. Je pousse un cri. Je n'y arriverai pas. L'odeur me donne un haut-le-cœur. C'est suffocant, c'est atroce, mais mon envie est si pressante que je m'enferme parmi les bestioles et je m'accroupis pour me soulager. Mon premier contact avec les toilettes d'ici est, disons-le, plus ou moins encourageant. Premier choc culturel.

Quatre heures plus tard, nous arrivons à destination. Cinq longues heures de voiture s'ajoutent à dix heures de vol et une escale : je suis épuisée. Il fait totalement nuit maintenant. J'aperçois au loin les lumières qui illuminent le village. Après des heures à parcourir des champs et des routes impraticables, nous roulons maintenant dans des rues de terre étroites, soulevant le sable sur notre passage.

La maison de mon M devrait se dessiner devant nous, mais je suis étonnée de constater que toutes les maisons de cette ville sont entourées de murs de ciment faisant office de clôtures. Seuls les toits des maisons collées l'une à l'autre sont visibles. La voiture se gare devant un portail de fer forgé et, pendant que papa M sort nos valises, je suis mon M, qui se précipite à l'intérieur. Avertie par les trois coups de klaxon, sa mère nous attend sur le palier.

À l'intérieur des trop hauts murs recouverts de chaux blanche se trouve un magnifique jardin dans lequel siège, en plein centre, un majestueux figuier entouré de cactus. Des palmiers longent le côté de la maison. Le sol de céramique de couleur crème nous mène à la porte d'entrée de la petite maison d'un étage, cimentée et tout aussi blanche que les autres. L'architecture de ce pays est totalement différente de celle chez moi. Les volets de l'unique fenêtre donnant sur le jardin battent au rythme du vent frisquet qui s'est levé en cette nuit de décembre. À gauche de la maison familiale, une réplique miniature de la maison centrale est érigée : le fameux studio dont M m'a tant parlé. Son lieu sacré, sa chambre, son nid, sa pièce, son espace.

Je suis gênée de voir tous ces gens qui accueillent le petit roi et sa princesse. Il y a foule dans le jardin. J'aurais préféré prendre une bonne douche et un souper avant de faire la bise à trop d'inconnus qui me saluent dans une langue que je ne connais pas. Ça m'amuse tout de même de voir les gens du coin fêter le retour de l'enfant prodigue qui vit le rêve de bien des jeunes de son village. Il a réussi l'exploit de partir et de refaire sa vie en Occident, ce qui est remarquable. De plus, il ramène une princesse blanche aux cheveux d'or. Aux yeux de tous, j'ai l'impression d'être la fée des étoiles.

Sa mère n'a pas bronché. Elle m'observe de loin, attendant que nous franchissions la foule pour la saluer. La vraie reine, c'est elle. Je m'empresse d'attirer mon M vers sa mère et, contrairement à ce qu'il m'avait raconté, il se jette dans ses bras, la fait tournoyer dans les airs et enfouit son visage dans son cou en lui disant « Je t'aime ». Peut-être ai-je changé mon homme ? Il me prend la main et la tend vers la sienne. Échange de regards. Elle me salue gentiment et m'entraîne dans la maison, où un festin a été préparé en notre

honneur. Heureusement, la maman parle un français impeccable et nous échangeons sur divers
sujets superficiels.

Il n'y a pas de vestibule. J'entre directement dans
un minuscule salon peu éclairé, où deux canapés
entourent une table à café basse en bois vernis faisant face à un vieux meuble chétif qui menace de
flancher sous le poids d'un énorme téléviseur trop
vieux pour notre époque. Adossé au mur du fond
trône un énorme vaisselier où de vieilles assiettes
de porcelaine ornées d'or brillent, ayant probablement été astiquées récemment. Plusieurs bibelots sont posés sur des étagères de bois accrochées
directement au mur. À ma gauche, une porte
entrouverte laissant voir une chambre d'enfant et,
à ma droite, une autre chambre que je soupçonne
être celle des parents. Je migre vers le fond de la
maison, où se trouve la cuisine dépourvue d'équi-
pements modernes. Il n'y a qu'une pauvre table en
plein centre, un énorme lavabo creux au fond de la
pièce, ainsi qu'un vieux four électrique et un frigo
rouillé par le temps. La décoration est minimaliste. Au bout de la cuisine, une autre porte cache
une salle de bain que j'espère ne pas être la seule
de la maison. Je prie pour que M ait la sienne dans
le studio.

Je perds de vue mon homme, qui est entraîné
à l'extérieur par ses amis, et je me retrouve parmi
sa famille. Tantes et cousines me posent mille et
une questions dans un français approximatif et me
demandent sans cesse si je manque de quoi que
ce soit. Peu de temps après, M me rejoint, délais-
sant les amis de la cour intérieure, et nous avalons

une bouchée. Le français laisse place à l'arabe et, de temps en temps, quelqu'un me reparle dans ma langue, ce qui me déstabilise, n'ayant pu suivre le fil de la discussion. Ce n'est guère important, car le couscous à l'agneau est délectable et mon cerveau emmagasine ce vent nouveau qui me sort totalement de mon quotidien. J'ai l'impression de vivre un rêve éveillé dans ce décor inconnu qui me fascine.

Nous terminons la soirée dans le studio avec les amis les plus proches de M. Arrive enfin Zied, son frère de lait, son plus vieil ami. J'ai tant entendu parler de lui et lui de moi, mais je ne m'attendais pas à une telle révélation lorsqu'il est entré.

Je l'ai reconnu tout de suite, même si je ne l'avais jamais vu auparavant. J'avais l'impression que nous nous connaissions depuis des vies. Nous nous sommes tout de suite assis l'un à côté de l'autre et nous avons discuté pendant des heures, sans que l'œil jaloux de M soit à mes trousses, car mon amoureux a une confiance aveugle en son ami. De mon côté, il n'était pas question d'attirance sexuelle ou de désir, loin de là. J'avais retrouvé un frère, une âme sœur de longue date, et j'étais totalement méduse par cette notion. À un moment dans la conversation, Zied m'a fait part de l'étrange impression qu'il avait de me connaître et je n'ai que souri, sachant très bien qu'il m'avait reconnue aussi.

DANSER SUR UN PIED

Une dizaine de jours de rêve à parcourir le pays de fond en comble, à s'évader en escapade dans le Sahara, à explorer des oasis idylliques, à nous perdre à dos de dromadaires, à visiter la mer et les hôtels luxueux, à faire l'amour passionnément et, déjà, l'heure du retour a sonné.

Nous sommes retournés à la capitale afin de profiter de ma dernière soirée dans ce pays de sable. Mon vol étant prévu aux aurores le lendemain, Zied nous a gentiment accueillis au condominium de sa famille. Ses parents sont extrêmement riches, ce qui n'est pas coutume dans le village. Pourtant, Zied est d'une fine modestie derrière ses lunettes et ses vêtements griffés. Il a la classe et la douceur d'un ange. Mon ange gardien.

À 23 heures, c'est la crise. Mon amoureux est dans tous ses états. Quelques heures auparavant, j'ai eu la « brillante » idée de leur proposer une partie de quilles. Nous nous sommes donc rendus dans le quartier touristique, où de telles attractions existent. Lors de mon premier abat, j'ai sauté de joie, levant un bras dans les airs et prenant une pose à la John Travolta dans *Saturday Night Fever*, exclamant un « Oh yeah ! » bien assumé. Les autres boules n'ont pas eu le temps de se retrouver dans le dalot et aucune autre quille n'est tombée.

M m'a traînée dans un coin, effaçant toute trace de bonheur sur mon visage. « Tu te donnes en spectacle », « J'ai honte de toi », « Tout le monde te regarde », « Une typique Québécoise ». Putain… putain de merde ! Il est sérieux ? Nous jouons aux QUILLES ! C'est pourtant une activité où l'expression « Le ridicule ne tue pas » prend tout son sens. Mais non, pas pour lui. C'est terminé. Il exige que nous rentrions immédiatement. Je me sens coupable. J'aurais dû comprendre que, dans son pays, une attitude comme celle-ci n'est pas de mise. J'ai gâché la soirée de tous. Dans la voiture, le silence est glacial. M fume clope après clope, comme il le fait toujours lorsque le stress et la rage le rattrapent.

De retour à l'appartement, je n'ai pas droit à un mot de sa part. Je dois partir le lendemain. Comment réparer ce faux pas ? Mon M et moi ne prenons pas le même vol – de son côté, il ne peut partir que dans cinq jours –, et je n'ai pas envie de le quitter sur une note de discorde. Au cours de ma vie, j'ai souvent été celle qui pardonne et qui va de l'avant afin de régler une situation qui rend mal à l'aise, à tort ou à raison. Les malentendus me hérissent et la rancune n'a jamais fait partie de mon vocabulaire. J'ai longtemps pensé que la vie est trop courte pour entretenir de la haine ou de la colère envers quelqu'un, j'ai donc le pardon facile.

Je le retrouve à la cuisine et, doucement, je pose mes mains autour de sa taille, me confondant en

61

excuses. Il se contracte, mais je garde mes bras bien enlacés contre son ventre et j'attends, espérant qu'il se détendra. Sa respiration se calme, puis il se tourne vers moi pour m'étreindre à son tour.

Outre l'épisode des quilles, je comprends qu'il est fâché d'être venu me reconduire dans la capitale et d'avoir ainsi perdu du temps précieux loin de sa ville natale. Je sais aussi qu'il ne veut pas revenir à Montréal aussi rapidement et qu'il aurait aimé rester plus longuement auprès des siens. Je me doutais bien qu'un trop-plein l'avait envahi et qu'il avait besoin d'une raison pour sortir sa colère à sa façon.

Au fil du temps, j'ai saisi que M détruit les gens qu'il aime et s'acharne contre eux, car il sait que leur amour est inconditionnel et qu'ils demeureront là, malgré les malgré.

Adorablement, il me fait part de son besoin d'air et me demande si je serais bien déçue s'il prenait une heure ou deux pour jouer une partie de cartes avec Zied, au café non loin d'ici. Mon cœur se serre un peu : être seule dans une ville que je ne connais pas et dans un appartement qui n'est pas le mien lors de ma dernière soirée outre-mer ne me convient pas du tout. J'aurais tant aimé qu'il ne m'abandonne pas, qu'il désire profiter de ma présence jusqu'à la dernière seconde, qu'il soit dévoué à ma personne autant que je le suis à la sienne. Mais j'ai gaffé. Je comprends.

Je m'autopunis en esquissant un sourire et en hochant la tête. *Vas-y, mon amour, tu en as besoin. Pars la tête tranquille. Je vais bien et, de toute façon, je suis fatiguée…* Mensonge. J'ai appris au cours de mon existence à être la bonne fille qui ne veut pas décevoir et qui croit qu'être aimée signifie de satisfaire tous les besoins de son homme. Selon moi, la femme parfaite est celle qui ne dit jamais non, qui comprend tout, qui acquiesce, qui ne demande rien, qui rit au bon moment, qui fait la fête et qui est aimée de la famille ainsi que de l'entourage. Je suis la femme que tous les amis de mes mecs rêvent d'avoir, car je ne suis pas exigeante et j'aime tout le monde. Je prends soin de mes hommes et m'assure qu'ils ne manquent de rien. « Elle est tellement merveilleuse, ta femme », disent-ils. Oui… mais, à l'intérieur, mes attentes ne sont pas comblées, je suis constamment déçue et mon masque pèse lourd. J'aimerais tant être aimée autant que j'aime.

Ici, les femmes ne sont pas admises dans les cafés et les mâles s'y retrouvent pour jouer aux cartes et boire des *espressos* courts très sucrés. J'aime aller dans les cafés, mais ceux d'ici, je dois les observer de loin. Je respecte les coutumes du coin même si je trouve absurde et préhistorique le fait d'interdire aux femmes de fréquenter certains endroits publics. Cette prohibition vient profondément heurter la féministe en moi.

Depuis notre retour de la salle de quilles, Zied s'est fait discret, mais je le sens aux aguets. Avant de passer la porte, il s'empresse de me retrouver dans la cuisine et pose sa main sur mon épaule. Avec un regard franc et scrutant mon âme, il a voulu s'assurer que j'allais bien : « Ça va ? » Dans un souffle, je lui réponds que oui. Son regard s'est intensifié quelques secondes et il m'a tourné le dos. Zied a lu dans mon âme, ma vérité.

Ce voyage idyllique se termine en queue de poisson. C'est souvent ainsi avec mon M : je sais rarement sur quel pied danser. J'ai l'impression de marcher constamment sur un tapis d'œufs avec le défi de ne jamais en casser.

À TOUT DE SUITE

Le lendemain, toute trace de venin a disparu et les adieux se font intenses. Mon M ne veut plus me laisser partir. Il m'imprègne de son odeur, me demande de rester sage et de l'attendre patiemment. Il me fait promettre de ne pas trop faire la fête et je m'empresse de le rassurer. Je ressens sa peur de me laisser partir loin de son emprise.

Nous ne nous sommes jamais quittés aussi long-temps, mais cinq jours sont vite passés et nous nous retrouverons rapidement pour reprendre le train-train de notre vie quotidienne dans ma ville, avec mes mœurs et mes coutumes. Le choc culturel m'a un tantinet bouleversée et, même si je n'ai eu qu'un petit aperçu de ce qu'est la vie dans un pays aux traditions différentes, mon voyage m'a tout de même marquée. J'ai ressenti à quelques reprises les inégalités entre les hommes et les femmes.

Nous avons surtout visité des lieux touristiques où les Français font la loi, mais, dans le village natal de M, je ressentais tout de même le regard des autres lorsque nous marchions dans la ville. Après un simple coup d'œil posé sur moi, les hommes, m'observant sans retenue, me jugeaient et me condamnaient sans savoir qui je suis. Je m'en fous un peu. Je suis touriste et je n'ai pas besoin de me fondre à la masse, ni de me plier à leurs conventions.

Vais-je y retourner un jour ? Sûrement, c'est un beau pays. Il y en a tant à visiter sur notre terre. Peut-être le Pérou, l'Égypte, le Japon ou la Thaïlande ? Maintenant confortablement calée dans le siège d'avion, je rêve dans les nuages.

Me Savoie lève les yeux vers moi. À travers ses lunettes rondes, je sens son regard m'inciter à en dire davantage.

— Continuez, s'il vous plaît.

LES ASTRES SAVANTS

Le 12 janvier 2001.

C'est à cet instant précis que tout a basculé. Un événement, une seconde, un obstacle qui change le cours d'une existence. Je ne serais pas celle que je suis aujourd'hui si ce moment n'avait pas entravé mon chemin. Mon destin aurait été tout autre. J'aurais sûrement dû relever un défi inscrit dans le grand livre de ma vie, mais peut-être l'aurais-je vécu différemment, moins violemment ou moins intensément. Qui sait ? Les astres savaient, et plus grand que nous savait aussi. Moi, j'ai vécu et je dois maintenant pardonner : me pardonner à moi-même de n'avoir su protéger la petite fille en moi.

Je suis donc à l'université et j'attends impatiemment 20 heures, heure à laquelle je dois aller récupérer mon M à l'aéroport avec la voiture que papa m'a prêtée. Date fatidique de son retour. L'attente a été longue, je suis pressée de coller ma bouche à la sienne et de sentir l'odeur de miel dans sa nuque. Je le sais dans l'avion en ce moment. Peut-être regarde-t-il lui aussi par le hublot, comme je l'ai fait cinq jours auparavant, et peut-être rêve-t-il dans les nuages à nos futurs voyages ? Je l'imagine impatient de me retrouver, désireux d'enfouir sa tête dans ma chevelure et de se réfugier dans mon corps…

Mon téléavertisseur vibre dans ma poche de pantalon. Bachir. Mince alors, il m'avait demandé la veille de m'accompagner à l'aéroport et je n'ai aucune envie qu'il soit des nôtres lors de nos retrouvailles. Il risque de tout gâcher et ils parleront sûrement en arabe sur le chemin du retour, langue que je ne comprends guère, quoique les amis de M m'ont appris des mots grossiers pour rigoler. Je veux mon homme tout à moi. Je me rends à une cabine téléphonique et, malgré ma réticence, je rappelle Bachir.

Au son de sa voix, je comprends que quelque chose cloche. Il est hésitant et tarde à entrer dans le vif du sujet, me questionnant sur des banalités de mon voyage et s'enquérant de la santé de ma famille, de ma rentrée universitaire, etc. La bombe finit par frapper mon univers et m'éclate en plein visage : M a été arrêté à Paris. Il ne rentre pas à Montréal.

— Quoi ?

Panique. Mon monde s'arrête. Vertige.

— Je n'ai pas plus de détails. Il m'a appelé à la hâte de Paris. On lui fait prendre un vol vers l'Afrique, il retourne chez lui.

C'est à n'y rien comprendre. Mon cœur défaille, un malaise me prend de court et je dois me retenir contre la cabine téléphonique afin de ne pas chuter. Je retrouve mes esprits rapidement et la cérébrale en moi prend le dessus. Je dois agir et vite. *Papa*, me dis-je. Mon père a toujours des solutions. Je raccroche presque au nez de Bachir, d'autant plus que son calme et sa nonchalance contrastent avec mon urgence et la boule qui grossit dans ma gorge. Ça ne sent pas bon tout ça. Ça pue en fait. Ça sent le fumier à des milles à la ronde. Monsieur M doit être en furie. Je l'imagine en état d'arrestation à l'aéroport Paris-Charles-de-Gaulle, humilié et seul au monde.

J'appelle mon père au bureau. Il est en réunion. Je prie la secrétaire de lui faire le message de me contacter au plus vite. Solution numéro deux : carte d'appel à taux fixe. Je me précipite vers le dépanneur le plus proche de l'université pour me procurer cette carte qui, pour les étudiants étrangers, est le moyen le plus abordable d'appeler outre-mer. Le mien aussi d'ailleurs.

Dix dollars plus tard, plus vingt-cinq cents avalés par la machine, j'entends maman M, avec son accent arabe très prononcé et rempli de *r* bien roulés, s'époumoner de l'autre côté de l'océan. Elle parle de torture, de prison, et me demande d'appeler les consulats et les ambassades. La mère de mon amoureux a tendance à exagérer et, bien évidemment, elle est hors d'elle. En panique, elle hurle, crie et pleure, tout en même temps. J'essaie de garder mon calme et de faire fonctionner mon cerveau le plus rapidement possible.

J'ai appris que dans le pays de M, la prison, c'est la violence assurée. Les gens qui y purgent des peines sont brutalisés, qu'ils soient jugés coupables ou non. Sous le joug du président, le pays est tenu en laisse et on y entretient la peur et le silence. Un simple mot prononcé contre lui vous mène droit en prison. Je me souviens de l'angoisse de M lorsque je l'ai questionné sur le président dans un endroit public. Je me demandais pourquoi des photos de cet homme étaient affichées dans chaque pièce des restaurants et des autres endroits publics. Ses mains se sont tortillées l'une dans l'autre et il m'a ordonné de me taire. Les murs ont des oreilles et des agents secrets sont mandatés pour prendre en flagrant délit toute personne mentionnant le nom de l'homme en question.

Avec en trame sonore les cris de maman M, je discute finalement avec le père de M, qui est beaucoup plus calme. Les minutes sont comptées, ma carte d'appel ne contient plus assez de temps. J'apprends que les douaniers ont intercepté mon amoureux à Paris, car son visa n'était plus valide, et qu'ils lui ont interdit le vol vers Montréal. Il s'est emporté et des agents de sécurité l'ont amené de force dans un avion pour qu'il retourne chez lui. Le protocole exigeant son arrestation immédiate lors de son arrivée en sol africain, maman M craint pour la sécurité de son fils. Papa M a appelé ses relations les plus haut placées, dont le père de Zied, qui a souvent aidé M à se sortir de ses frasques (et il en a fait, des bourdes!), mais celle-ci ne peut être résolue avec de l'argent. Au fil du temps, papa M s'est endetté auprès de cet ami afin de panser les écarts de conduite du petit roi, mais, cette fois-ci, nous sommes dans une impasse. L'attente est l'unique solution.

J'attendrai donc, incapable de manger ou de sécher mes larmes. Comble du désarroi, c'est la fin de semaine et les ambassades sont fermées.

Sur mes épaules

Un monstre a la faculté de reporter sa responsabilité sur les autres et de se démettre des siennes.

L undi matin, à la première heure, j'ai contacté ma tante, une avocate de profession, qui a réussi à obtenir certaines informations et qui m'a fait remplir des documents afin que je sois autorisée à parler au nom de M.

Mardi. L'hiver est dur à Montréal. Le trafic s'est intensément installé, et la tempête fait rage dans mon cœur et sur les routes. Mon papa et moi arrivons de peine et de misère au consulat représentant le pays de M à Montréal. Nous avons finalement réussi à obtenir un rendez-vous d'urgence. Je parle à M deux fois par jour. Un coup de fil très tôt le matin et un autre en fin d'après-midi. Le décalage horaire ne nous aide pas.

Le consulat fait tomber le verdict : il n'y a rien à faire. Entendre la raison de l'arrestation de M de la bouche d'un homme dont le niveau d'empathie est manifestement très bas me casse en mille morceaux. Devant mon papa, j'ai honte et je devrai trouver les mots pour défendre mon M. Cause de son arrestation : voies de fait envers la fameuse Yasmine. Permis révoqué. Visa non renouvelé. Pourtant, M m'avait juré qu'elle avait retiré sa plainte. Tout cela est de ma faute. Si je n'avais pas existé, il ne m'aurait pas défendue et n'aurait pas battu Yasmine, donc son dossier serait vierge et ses fesses seraient de retour dans le froid canadien.

Je parle à M au téléphone… Il ne se gêne aucunement pour me dire que je suis responsable de sa déportation. Il me répète sans cesse que c'est ma faute s'il se sent prisonnier de son studio. C'est ma faute s'il se sent enchaîné. Je peux imaginer ses yeux brûlants s'emparer de mon âme et déchirer mes pupilles. Je peux sentir la colère vibrant dans sa voix.

Pourtant, il est libre. Le jour même de son arrestation, après un long interrogatoire, n'ayant aucune accusation contre lui dans son pays, mon M fut libéré de prison. Il doit cependant renouveler son visa afin de retourner en sol canadien, ce qui ne sera pas chose facile vu son casier judiciaire, mais il peut se promener librement dans son pays. Malgré cela, M s'inflige ce confinement, ce qui me fait me sentir encore plus coupable.

Un plan de match est nécessaire, et je suis la seule personne apte à réparer ma gaffe et à régler la situation. Du haut de mes dix-huit ans, je dois gérer. Voilà.

DÉPLACER
DES MONTAGNES

Les journées ont passé. Religieusement, j'ai appelé mon M deux fois par jour. Lorsqu'il y a des embouteillages et que mon arrivée à l'université tarde, mon niveau de stress augmente de façon fulgurante. Je sais qu'il attend mon appel, je sais aussi qu'il déteste poireauter et qu'il me fera payer pour mon retard. Je ne lui en veux pas. Il me répète sans cesse qu'il est prisonnier chez lui alors que moi je suis libre comme l'air, ce qui l'irrite gravement. Il n'accepte pas que SA femme ne soit pas à ses côtés. Il me questionne sur mon habillement, sur les relations que j'entretiens, il veut savoir en détail à qui j'ai parlé durant la journée et quelles sont mes activités. Il est déçu de moi et me dit qu'une autre femme aurait déplacé des montagnes pour le faire revenir au pays. Je suis atterrée par ses propos. Pourtant, je remue ciel et terre. J'ai même rencontré un avocat de l'aide juridique. Mon M doit se présenter en cour pour voies de fait en avril et, comme il ne peut pas encore revenir au pays, j'ai réussi à faire repousser la date de l'audience. Ce n'est pas assez pour lui. Son humeur est changeante : lors de certains appels, il m'inonde de mots d'amour et, à

d'autres moments, ce sont l'animosité et la foudre
qui s'abattent sur moi.

PUTE… SALE PUTE

Nous sommes à la mi-janvier. Mes études n'étant plus ma priorité, je n'arrive plus à me concentrer. Mon seul objectif : revoir M le plus rapidement possible. Notre dernier appel téléphonique m'a fait frémir. Il m'a posé un ultimatum. Il ne supporte plus que je sois loin de lui. Et la détresse lui a fait prononcer un mot…

La première fois qu'il me l'a lancé en pleine face, c'est ce jour-là.

Ce mot, il l'a tant utilisé par la suite : à toutes les sauces, à tout moment, pour n'importe quelle raison. Ce mot prononcé en arabe a une résonance encore plus dure et plus forte. Ce mot tout en *k* et en *h* est un crachat direct au visage. À ce jour, un crachat au visage est pire qu'une baffe en pleine gueule ou un coup de bâton sur les tibias.

Lors de cet appel, il m'a craché ce mot en le prononçant telle une vomissure : *kahba*. Pute. Sale pute. Putain. *Kahba*. Je suis une pute, une pétasse, une salope. Je ne suis pas à ses côtés, il se sent prisonnier et, moi, je gambade, je sors et je baise sûrement. Si je ne viens pas le rejoindre rapidement, tout sera fini entre nous, dit-il. Il me rayera de son existence en un coup de vent. Je n'ai que ma voix pour le calmer. Je me sens prisonnière aussi, à l'autre bout du fil. J'aimerais tant le prendre dans mes bras, l'apaiser et lui dire que je l'aime, les yeux dans les yeux. Il me manque. Je le rassure. Je tremble de ne pas pouvoir le toucher. Moi, seule au monde avec ma peine, je ne suis pas ce qu'il dit. Je marche au pied, je ne sors pas faire la fête, je m'habille convenablement et je fais tout pour être la femme qu'il veut que je sois. *Ne panique pas, mon amour. Je vais m'organiser et, si tu ne peux venir à moi, je volerai à toi.* Pourquoi l'ai-je laissé m'insulter ainsi ? Parce que je sais que, au fond de lui, il ne le pense pas. Ce n'est que sa façon de me dire qu'il ne supporte plus mon absence. Ce n'est pas le moment de me fâcher contre lui, il a besoin de mon soutien et d'une dose d'amour supplémentaire.

J'entends un bruit au loin. C'est si lointain. Une sirène, une alarme, des bruits de pas ? Ankylosée, j'hiberne entre deux mondes. Mon estomac gronde. J'ai toujours comme logis ce plancher polaire qui gèle ma peau. Mes vêtements trempés de sueur baignent dans une eau glacée. Mon cœur est lent. Bat-il encore ?

SE TAIRE DANS LE SILENCE

Me Savoie prend toujours autant de notes. Il écrit rapidement. Je suis mal à l'aise à cause de ce que je viens de raconter. J'ai honte de ne pas avoir raccroché au nez de M lorsqu'il me punissait de mots. Aucune femme ne mérite d'être appelée « sale pute ». Ce fut le début de la dégringolade. Souvent, lorsqu'on accepte la première insulte, la porte s'ouvre pour les prochaines et, grande ouverte, elle laisse entrer la destruction de l'estime de soi. À petit feu, mot par mot. Les yeux baissés, je garde le silence. Mon papa prend la parole, lui qui s'était tu depuis la dernière heure.

« Sa mère et moi étions contre l'idée qu'elle reparte. Nous observions notre petit trésor d'à peine dix-huit ans ruiner ses études, ses liens d'amitié, sa jeunesse. Elle maigrissait à vue d'œil et la situation grugeait son énergie. Nous avons tenté de la raisonner, mais en vain. Sophie est un taureau avec une tête de mule. Elle est acharnée et têtue.

« Depuis janvier, elle avait repris son travail à mon bureau les samedis et les dimanches, et elle assistait à ses cours à l'université, mais je voyais bien que son cœur n'y était pas. Je craignais qu'elle plie bagage à tout moment. En février, l'atmosphère était triste à la maison : elle partait. J'ai pris mon courage à mille mains et je suis allé la reconduire à l'aéroport. Je savais qu'il était impossible de la retenir. Elle s'envolait vers un pays que je n'avais jamais visité, moi, capitaine du tour du monde. Je ne la savais pas en sécurité, je ne la savais pas entre bonnes mains. Je sais seulement qu'elle m'a serré fort dans ses bras avant de passer les douanes. Je n'ai pu m'empêcher d'essuyer une larme, puis une autre, et j'ai détourné la tête pour dissimuler ma peine.

« J'aurais voulu hurler à ma fille : "Ne pars pas, attends ! Laisse la poussière retomber et ne mets pas ta vie sur pause pour un homme. Tu es trop jeune pour affronter cette situation. J'ai peur, Sophie. J'ai peur que tu t'enlises, que tu te perdes. Je te vois t'effacer derrière l'ombre de quelqu'un…" Mais je l'ai laissée fuir, je me suis tu. Je savais qu'aucun mot ne la retiendrait. Une voix à l'intérieur de moi me disait que c'était le début d'un cauchemar, mais j'ai gardé le silence de peur de l'éloigner davantage.

« Elle ne s'est pas retournée, mais je voyais les larmes ruisseler sur son visage. Elle a sûrement vu les miennes aussi, que j'effaçais du revers de la main. Elle est partie vingt jours. Elle est revenue changée à jamais. »

CROQUER SON ÂME

Afrique, aéroport, douanes, prise deux. J'ai fait bien attention de me vêtir convenablement, selon les nouvelles normes de M, afin qu'il constate par lui-même que je suis exemplaire. Ainsi, rien ne pourra nuire à la magie de nos retrouvailles tant attendues. Manteau long, pantalon ample, col roulé, souliers fermés : je suis tout de même chic et élégante malgré l'hermétisme de la tenue.

Par chance, en février, ce n'est pas la canicule au pays du Sahara et un vent plutôt rafraîchissant m'accueille. L'aéroport est calme, je dirais même désert. La saison touristique n'est pas entamée et, Dieu merci, le vol m'a coûté moins cher qu'en haute saison. L'argent que j'ai durement économisé depuis le début de l'été dernier y est pourtant passé en entier.

Mon univers chavire lorsque je vois mon M, qui m'attend à la sortie du poste frontalier. Il se tient droit, les mains dans le dos, la tête légèrement penchée vers le sol, guettant, tel un vautour, les voyageurs émergeant de la porte battante. Il a enfilé mon chandail préféré, son col roulé gris foncé, lequel met en évidence son visage, sa mâchoire carrée et ses lèvres pulpeuses qui n'attendent que les miennes. Je me précipite dans ses bras et me soûle de l'effluve de sa peau qui, tel un raz-de-marée, m'aspire vers les abîmes. Je promène mes narines sur sa peau, son odeur me rassure sur son identité et je plonge mes yeux dans les siens, cherchant à croquer son âme.

L'intensité de telles retrouvailles a la capacité de nous engouffrer dans l'abysse de notre *love story* et, comme une dose d'héroïne, de nous accrocher à ces profondeurs malignes, mais délectables.

Nous nous embrassons pendant de longues minutes, exaltés par ce moment vif de passion, puis, son bras autour de mon épaule me collant à son corps, il m'entraîne hors de l'aéroport.

Un employé de papa M est notre chauffeur. Nous prenons donc place, M et moi, sur la banquette arrière de la vieille voiture qui nous raccompagne vers le village natal. Nous y faisons presque l'amour tant nos corps ont envie de s'abandonner l'un à l'autre. Je renoue avec le paysage orné de palmiers et de campagne. Je reconnais les routes qui serpentent et les cactus en bordure. D'innombrables sacs en plastique noirs, portés par le vent, s'échouent sur les épines des grands cactus verts. La population jette encore ses déchets par les fenêtres des voitures, chose bannie au Québec depuis longtemps. Il fait jour, le soleil caresse ma peau, et j'ai envie de danser dans la lumière de ce pays chaud.

Nous approchons de sa rue et, contrairement à la première fois, il n'y a aucun comité d'accueil: pas d'amis ou de voisins curieux pour m'attendre à la maison. Maman M, au bruit du klaxon annonçant notre arrivée, sort sur le perron. À sa vue, je sens tout de suite une énergie différente chez cette femme au sourire pincé, au nez drôlement pointu et aux cheveux tirés en un chignon brun serré qui rehausse ses pommettes saillantes. Elle me semble plus petite que dans mon souvenir et ses cernes foncés, encerclant ses yeux, témoignent de jours malheureux. Elle cache avec difficulté son regard dur, lequel avait été si chaleureux lors de mon premier voyage. Notre brève accolade et les trois becs formels sur les joues – gauche, droite et gauche – sont maladroits et froids.

J'ai appris au cours de ma vie, selon la philosophie d'un des quatre accords toltèques, que, quoi qu'il arrive, il ne faut jamais en faire une affaire personnelle. « Ce que les autres disent et font n'est qu'une projection de leur propre réalité, de leur rêve. Lorsque vous êtes immunisé contre cela, vous n'êtes plus victime de souffrances inutiles[1]. »

Je tente de faire fi de l'accueil misérable de maman M, mais celui-ci trouble mes eaux, jusqu'ici sans vagues. Un goût amer remplit ma bouche, annonçant un changement de cap.

Autre déception, le frère de M est au café et il ne rentrera que bien plus tard pour me saluer. Outre mon M, la seule qui m'offre un accueil chaleureux est la petite sœur, cachée dans les jupes de sa maman. Lors du voyage précédent, j'avais eu droit à tout un festin d'agneau et de couscous lors de

---

1. Don Miguel Ruiz, *Les Quatre Accords toltèques*, éditions Jouvence, 1999.

cette mémorable soirée. Aujourd'hui, maman M n'a pas eu le temps de concocter de repas. Il y a les restes de ce midi, spaghetti à la harissa et pain beurré, si j'ai faim, me dit-elle avant de retourner vaquer à ses occupations. De mon plus large sourire, je la remercie tendrement et secoue la tête. Je meurs de faim, mais je ne veux pas déranger.

PLAIRE

J'ai toujours voulu plaire aux gens. J'ai osé croire que tous m'aimeraient si j'étais la gentille petite fille qui ne dérange pas. J'ai aussi, en vain, emprunté le chemin dans lequel les autres marchaient, les laissant choisir à ma place, sans accorder d'importance à mes réels désirs. « Ça ne me dérange pas » était ancré dans mon vocabulaire. « Comme tu veux » l'était aussi. Maintenant, je tente tant bien que mal d'écouter et d'honorer mes besoins. Sexuellement, c'est semblable. J'ai toujours fait ce qui lui plaisait, sans écouter mon corps et sans glorifier la femme en moi.

Aujourd'hui, l'homme qui partage ma vie me guérit tranquillement. Il m'a appris à ressentir, à voyager à l'intérieur de mon corps, à sentir l'appel de ma chair et à faire ce qui me plaît dans le respect de qui je suis. Après mon périple avec M, j'ai donné dans l'autodestruction et dans la violence envers moi-même en me laissant martyriser par des conquêtes. C'était l'unique moyen de ressentir quelque chose et la violence sexuelle était la seule voie que je connaissais : l'humiliation, l'abus, la soumission ainsi que la domination, autant par moi que par l'autre. J'espère avoir retrouvé mon équilibre et, patiemment, fait disparaître la balafrée.

Se faire toute petite

Vingt jours aux frontières du Sahara. Nous avons passé la première semaine barricadés dans le studio de M, ne sortant pratiquement que pour aller chercher de la bouffe chez la maman. M m'apportait mon café au lit tous les matins, ce qui me faisait me sentir comme une princesse arabe dorlotée et gâtée par son homme. *La lune de miel.* C'est de cette façon que les thérapeutes des centres de femmes battues décrivent ces moments d'extase qui suivent les crises de nos gourous manipulateurs.

M tourne en rond dans le studio. Cette fameuse lune de miel semble déjà terminée. Dans le petit village, rien ne ressemble à mon premier séjour. Les masques sont désormais tombés et on ne me regarde plus de la même façon. Lors de nos premières vacances, nous avions des escapades planifiées, nous avions exploré le pays au grand complet et nous avions même vu la mer. J'étais un trophée qu'on baladait de ville en ville, de maison en maison et d'ami en ami. On dévoilait la princesse venue de loin, l'accomplissement de M et le rêve de chaque habitant voulant fuir pour refaire sa vie ailleurs. Rares sont ceux qui ont quitté ce pays de sable pour rêver mieux.

Ce jour-là, je sens de la tension dans la maison familiale. L'énergie de M étant volcanique, nous sommes tous sur le qui-vive, craignant l'explosion d'une seconde à l'autre. Je commence à bien connaître mon M et je sais que je dois marcher au doigt et à l'œil pour ne pas déclencher sa colère. Il rôde, cherchant la moindre excuse qui pourrait le faire enrager. Plus de cigarettes... Je suis assise bien droite sur le canapé du salon, respirant le moins fort possible, bougeant à peine et fixant *Les Feux de l'amour*, un *soap* américain de série B qui passe en après-midi sur la chaîne française TF1, sans oser monter le volume ou encore moins changer de chaîne.

Et vlan! Sa voix monte et il hurle à sa maman de lui donner trois dollars pour des clopes. Elle ne les a pas. Ses mains se crispent sur le rebord du canapé et, vociférant en direction de maman M, il entame brusquement la destruction de toutes les choses entravant son chemin. Il casse tout. J'entends encore les hurlements et les pleurs de maman M le suppliant de ne pas jeter à terre le vaisselier contenant les précieuses assiettes de porcelaine de sa grand-mère. Il la défie du regard, puis il prend soin de bien fracasser le meuble sur le sol pour que chaque assiette soit irrécupérable. Il migre vers les bibelots posés sur les étagères de bois accrochées au mur du salon et je prie le ciel qu'il les dispense de sa colère, mais les objets décoratifs se fracassent sur le parquet. Il n'épargne que la télévision. Sa colère se rend jusqu'à la cuisine, où il continue son massacre, jetant tout au sol, cassant même les chaises en bois et menaçant de les lancer au visage de sa mère avant de les mettre en pièces.

Je ne me suis jamais faite aussi petite. J'ai si peur que mes tremblements intérieurs attirent son attention. Je reste assise sur le sofa en attendant que la tempête passe.

Elle passe… Il quitte la maison en furie, claquant la porte et faisant revoler sur son passage les meubles du jardin. Il m'épargne pour la toute dernière fois, mais m'abandonne tout de même, cloîtrée entre les murs de la maison.

Je n'ose pas sortir et, de toute façon, où pourrais-je bien aller ? Les femmes dans ce coin de pays ne sortent pas, sauf pour se rendre chez l'une ou chez l'autre. Lors de mon premier voyage, M se foutait bien des règles et osait me trimbaler partout. Cette fois-ci, la règle est claire. Lorsqu'il est revenu chercher un pull quelques heures plus tard, j'ai osé lui demander de repartir avec lui et de l'accompagner au café, car les quatre murs commençaient à me rendre dingue. Il a été catégorique : « Ce n'est pas la place d'une femme et aucune autre ne sera présente, donc tu restes à la maison. » Il n'est revenu qu'au petit matin. Je méprise les cafés.

Depuis cet incident, je suis malade. Mon ventre est totalement à l'envers. Je crois que la faute repose sur les aliments épicés à la harissa, qui brûlent mon tube digestif. Rien n'est jamais assez épicé ici et tout est assaisonné au piment vigoureusement fort. Les émotions de la veille n'aident probablement pas mon état, l'estomac étant directement lié aux émotions. J'ai si peur de la violence de l'homme qui partage mon lit. C'est la toute première fois qu'il s'abandonne devant moi à une agressivité aussi sauvage, s'attaquant à tous les objets sur son passage. Sa fureur n'est pas de bon augure et assister à cet excès de colère me bouleverse profondément.

Je crains pour sa mère et pour sa petite sœur qui, pourtant, ont tout de suite ramassé les dégâts, excusant le geste de M, gênées par son attitude et défendant son comportement, que je trouvais inapproprié. J'essaie de leur en glisser un mot, de revenir sur le sujet et d'analyser avec elles la situation, mais la loi du silence règne dans la maisonnée. Il en a toujours été ainsi et je comprends que nous devons nous tenir tranquilles jusqu'à la prochaine tornade. Je m'isole dans le studio, décortiquant seule l'événement, et je finis par excuser le geste de mon homme. Sans visa, il ne peut retourner au Canada ; il se sent prisonnier de son pays et n'a aucune échappatoire. Sa colère est donc justifiable.

Respirer le mal

M m'attend dans la voiture stationnée devant les grilles de la maison. Nous devons partir pour un long voyage vers l'ambassade du Canada. Je suis excitée – je ne suis pas sortie de la maison depuis mon arrivée ici –, mais également anxieuse à l'idée de ce que je dois accomplir. La liberté de M repose sur mes épaules et tous les membres de la famille me le font bien comprendre, remplissant ma tête de conseils et de recommandations. La pression est lourde et, du haut de mes dix-huit ans, j'ai le sentiment que le futur de mon M repose uniquement sur moi.

Aujourd'hui, il fait particulièrement chaud pour un jour de février dans la vieille Mercedes non climatisée. Mon ventre me fait souffrir et c'est pliée en deux, avec beaucoup de difficultés, que je me rends à la voiture. Je ne sais si mon corps supportera cinq heures de route vallonnée, mais je tente désespérément de respirer malgré ma douleur. Je n'ose me plaindre, craignant de faire jaillir la colère de mon M.

La veille, M et son père m'ont emmenée voir le docteur et, vingt dollars plus tard – ce qui est une fortune pour papa M —, je suis repartie sans diagnostic. L'hôpital bondé de la petite ville est juché au haut d'une route en terre. S'y rendre avait fait forcer le moteur et fait maugréer papa M, lui qui ne se plaint habituellement jamais. Je ne comprends guère ceux qui ont décidé de planter l'hôpital à cet endroit, un lieu quasiment inaccessible par la route. Le chemin pour s'y rendre est un labyrinthe parsemé d'embûches et de sable collant sur les vitres de la voiture. Sur place, M a interdit au docteur de m'examiner, car il ne peut s'imaginer qu'un homme me tâte, même le bras. Donc, nul verdict pour mon mal de ventre lancinant et persistant.

À bord du véhicule roulant à toute vitesse et dépassant adroitement les chariots tirés par de faibles tracteurs — M étant un coureur automobile dans l'âme —, je m'évade dans ma tête. Je me sens loin de tout, même si le mal me ramène au moment présent. J'ai peur de ne pouvoir rien faire à l'ambassade et de devoir affronter les foudres de mon M par la suite.

Le soleil plombe sur ma peau et le vent caresse mon visage. Il est midi et, au loin, j'entends l'appel à la prière. *Allahou akbar. Allahou akbar.* Sans savoir que je me retrouverai moi-même agenouillée, dans une mosquée, à prier pour ne pas mourir.

Il pleut des roses

L'horloge indique 7 heures. Nous avons dormi ou, du moins, nous avons essayé de nous assoupir dans la voiture stationnée tout près de l'ambassade, n'ayant pas d'argent pour nous payer une chambre d'hôtel, ni même un croissant. Je garderai toujours en mémoire la beauté de cette capitale où le vent est bon, même en période de canicule saharienne.

Un jour, alors que nous logions chez Zied pour une de mes nombreuses visites à l'ambassade, ce dernier m'a emmenée faire les courses, tactique qu'il utilisait de temps en temps afin de me faire oublier, une mince heure tout au plus, les griffes de M et les éternels quatre murs qui m'emprisonnaient. Nous avons donc fait le marché rapidement, presque à la course, et sur le chemin du retour, à mon grand étonnement, Zied s'est arrêté pour admirer le paysage, le temps que je lui raconte mon désespoir, ma peine et les humiliations constantes infligées par mon Monstre. Je voyais sa compassion dans le fond de ses yeux et sa main s'est glissée dans la mienne. Nous avons continué notre brève escapade, main dans la main, comme des amoureux se promenant incognito. J'ai su à ce moment que Zied, du haut de ses seize ans, était amoureux de moi, la future femme de son meilleur ami.

Il est 7 h 15. Je suis aux portes de l'ambassade, attendant l'heure d'ouverture, prévue pour 8 heures. Il y a déjà une foule de gens du coin et je n'aperçois personne de ma nationalité. M m'a laissée à la grille de l'ambassade sans descendre de la voiture, en me répétant trop de fois de poser toutes les questions et de revenir avec les réponses, que je suis sa seule alliée, son unique espoir, et que son sort repose sur mes épaules. Il n'est pas méchant dans ses propos, au contraire, je le sens amoureux, fier et tendre. Pourtant, j'aurais tant souhaité qu'il attende avec moi en file ou, du moins, qu'il m'ouvre la porte du véhicule, qu'il se stationne et qu'il marche avec moi. Pourquoi devrait-il se faire suer alors qu'il peut éviter tout cela ? Il m'attendra plutôt au café du coin, où il rencontrera des amis. Ces derniers vivent dans la capitale, il profitera donc de ce moment pour les voir.

Je suis en file et j'attends mon tour, le ventre à l'envers. Le cœur aussi… Les quarante-cinq minutes avant l'ouverture sont longues, mais, dès que l'horloge sonne 8 heures, je me faufile vers les gardes de sécurité, passeport bien en main à la vue de tous ceux qui donnent l'autorisation d'entrer. Je remarque la grande beauté de l'établissement. L'architecture du centre-ville est richissime. Elle impressionne par la blancheur des murs enduits à la chaux et plaqués d'or, ainsi que par les gigantesques statues romaines qui semblent protéger les lieux.

J'attends encore longtemps dans la salle d'attente où on me demande de patienter. J'essaie d'attirer l'attention des employés canadiens qui s'affairent, arborant un air important et occupé. Je me demande où se trouve mon M. Je me sens bien seule dans cette ville qui n'est pas la mienne. Finalement, mon nom résonne dans les haut-parleurs. « Bureau 4 » est ma destination. Je ne sais pas pourquoi je suis si pressée de me lever et de trouver la porte qui m'est assignée. La crainte qu'ils passent au nom suivant sans doute.

Je me retrouve donc dans un minuscule bureau devant une vitre qui ne permet pas de contact humain, ni de bien entendre mon interlocutrice. Une dame aux cheveux courts, roux et frisés et au visage pointu se présente à moi. Si le chien ressemble à son maître, le sien est sans aucun doute un caniche royal rouquin, un peu hautain, qui s'imagine être élégant en oubliant qu'il est un chien. « Que puis-je faire pour vous, madame Sophie ? » me lance-t-elle en classant des documents déjà trop bien placés sur son bureau. Je me penche vers la vitre pour être certaine de bien me faire entendre et je lui explique la situation en refoulant une boule qui se met dangereusement à monter dans ma gorge. J'espère de tout mon être qu'elle saura m'aider afin que mon M revienne à Montréal et que ma vie reprenne son cours.

« Mon amoureux ne peut pas rentrer au pays, lui dis-je. Il a pourtant un visa d'étudiant étranger bien réel qui lui permet d'étudier au Canada. Il a été arrêté lors de sa brève escale en France et nous sommes piégés ici. À Montréal, j'ai réussi à faire reporter une audience qui requiert sa présence. J'ai tous les papiers en main ainsi qu'une décharge me permettant de parler en son nom. Il a lui-même tenté de récupérer son visa ici même, mais vous le lui avez refusé.» Je parle, je parle, je parle… La dame en question m'écoute en continuant son classement, levant son index afin que je me taise et qu'elle réponde au téléphone qui ne cesse de sonner. Finalement, elle daigne se lever pour se rendre au classeur derrière elle. Je la suis du regard, à l'affût de ses moindres mouvements. Au mur, sur un tableau en liège, sont épinglés plusieurs papiers. Je plisse les yeux. Le nom de M est inscrit en haut à droite de l'un de ces documents, encerclé au marqueur rouge. Le *poodle* roux revient vers moi et scrute un dossier qu'elle vient d'ouvrir. Je me ronge les ongles dans l'attente de son verdict.

Effectivement, M a fait une requête en janvier 2001 et le dossier suit son cours. Elle ne m'en dit pas plus, malgré mon insistance et mes nombreuses questions. Je pars donc bredouille et c'est ce qui m'angoisse encore plus.

M m'attend dans le café voisin. Je lui fais signe de loin et, lorsqu'il s'approche, il voit bien que les nouvelles ne sont pas bonnes. Les lèvres pincées, il me lance les clés de la voiture et il retourne à son jeu de cartes, le temps de finir sa partie. Je dois l'attendre, abattue, sur le siège du passager. À cause de cet échec, je me sens nulle et bonne à rien. Je n'ai pas posé assez de questions, je ne sais pas manier le verbe comme lui. D'ailleurs, mon vocabulaire est pauvre et les mots me manquent. J'hésite lorsque je prends la parole, je bégaie lorsque la nervosité s'empare de moi, je suis un échec. Le retour vers la maison est pénible et douloureux. Mon estomac se tortille et je dois subir le mécontentement de M. Je l'ai déçu.

Le lendemain, à la demande de M, une vieille sage-femme est appelée à la maison. Je vais de mal en pis et je ne supporte plus la douleur lancinante dans mon ventre. Le visage de la soignante est orné de tatouages suggérant son étroite liaison avec la sorcellerie et la magie. Au pied du figuier, dans le jardin intérieur, elle s'affaire, pieds nus, à concocter une potion à base d'herbes et de fleurs qu'elle sort de son sac en osier. J'aurais préféré l'hôpital et les antibiotiques, mais je me laisse tâter par les mains habiles de cette sorcière qui, je l'espère, saura me soulager. Elle verse sur ma tête de l'eau de rose qui dégoutte jusque dans mon chandail, puis enfonce dans ma bouche son remède artisanal. L'amertume du mélange me noue la gorge et je résiste à la tentation de régurgiter le tout sous les yeux amusés de maman M, qui tient mes épaules pour que je ne tombe pas à la renverse. Je dois boire un litre d'eau par la suite et m'asperger d'eau de rose trois fois au cours de la nuit. La vieille sorcière nous quitte après avoir reçu quelques dollars en échange de son expertise.

J'ai suivi ses directives et, aussi ridicule que cela puisse sembler, après avoir vidé mon corps dans les toilettes du studio, mon mal s'est envolé… comme par magie.

TROIS PETITS MOUTONS

Il ne nous reste plus beaucoup de temps, j'en ai bien peur. Depuis le retour de l'ambassade, mes journées se suivent et se ressemblent. N'ayant pas d'argent pour voyager dans les lieux touristiques de ce pays que je connais encore mal, je me retrouve isolée à la maison dans ce village aux coutumes démodées. Le moral de mon mec est à moins mille et j'aimerais tant profiter de nos derniers jours ensemble. J'essaie tant bien que mal de faire rire mon M, de le gâter du mieux que je peux en lui apportant le café au lit et en le dorlotant de mots doux. J'envoie sa petite sœur nous acheter du pain frais (à dix centimes la baguette, c'est le seul luxe que je peux m'offrir), j'apprends à concocter un mets d'ici et j'aide sa mère dans la cuisine. Je me fais toute gentille et serviable. Parfois, je surprends un sourire sur le visage magnifique de mon homme, il retrouve alors pour quelques heures son entrain et sa vivacité. Il me lit du Baudelaire et nous écoutons de nouveau la musique qu'il aime.

Pour la première fois depuis mon arrivée, j'entends la voix de ma douce maman. J'ai un pincement au cœur, elle est si loin et m'attend impatiemment. Je la rassure, mon voyage tire à sa fin et je serai bientôt de retour, sans M, lui dis-je tristement.

Papa M me ressemble et essaie en vain de rendre la vie de son fils des plus agréables. D'ailleurs, aujourd'hui, il est venu nous chercher à l'heure du lunch pour une surprise, nous dit-il, et il nous entraîne sur une route de campagne vers le nord. Nous défilons à travers le village à bord de la vieille Mercedes et nous nous perdons dans les champs d'oliviers. C'est magnifique. Mes yeux se gavent du paysage. Je hume l'odeur de la terre réchauffée par le soleil et je fais le plein de ces images que je ramènerai dans ma valise à Montréal.

Gauche, droite, gauche, gauche. Nous nous arrêtons devant une cabane en bois où je vois pendre du toit trois misérables moutons, accrochés par les pattes, qui ont vraisemblablement été égorgés récemment vu la flaque de sang encore frais sous leurs têtes. Ces bêtes se vident de leur sang en attendant d'être dépecées par un presque nain affairé à décortiquer un quatrième mouton sur son étal vieilli.

Je suis mortifiée. Moi, fervente défenderesse des animaux, je constate que l'un d'eux bouge encore. Un haut-le-cœur me prend au dépourvu, mais je le camoufle en retournant mon visage vers le ciel. Je sais fort bien que je dois honorer cette nourriture ainsi que les coutumes de ce pays si différent du mien.

Nous prenons place autour d'une table à l'intérieur du restaurant, lequel aurait nettement besoin d'un profond nettoyage et d'une climatisation adéquate. Papa M est fier de sa surprise. Il se frotte les mains et le ventre, prêt à se régaler, tandis que, de mon côté, l'odeur du sang me monte au nez et je me demande comment je ferai pour avaler cette viande un peu trop fraîche.

Quelques mots sont échangés en arabe entre papa M et le nain, qui abandonne le quatrième mouton pour nous servir. Il essuie à peine ses mains tachées de sang sur un vieux chiffon traînant sur le comptoir et nous sert de grosses pièces de mouton tout frais. Mon M se régale et mord à pleines dents dans le méchoui. Je me lance aussi, timidement, et je découvre une viande délicieusement tendre. Mais l'image des moutons saignants pendus par leurs pattes, de leur langue sortie et du sang dégoulinant encore de leur cou tourne en boucle dans ma tête. La végétarienne en moi prend lentement place dans une parcelle de mon cerveau.

J'abdique. Mon corps est gelé. Je pars, je le quitte. Je vole en dehors de ma chair. Je regarde mon quasi-cadavre, toujours sur le sol, pris de convulsions. Je souris. C'est terminé. Je n'aurai plus jamais mal.

VIE DE CHIEN

Fin février. J'arrive au Canada après un long voyage, dont une escale à Paris qui a duré douze heures. Je suis morte de fatigue, épuisée et triste d'avoir quitté le pays du sable sans mon homme, avec le sentiment de n'avoir rien pu faire pour le ramener à la maison, ma maison. Mon départ de l'aéroport du pays de M a causé d'intenses émotions. M ne voulait plus me laisser partir et c'est dans un déchirement total que nous nous sommes fait nos adieux, nous promettant de nous revoir dans moins d'un mois, coûte que coûte. S'il ne peut revenir, j'irai à lui.

Je suis déconfite, il me manque déjà. Lasse, je récupère ma valise trop lourde qui passe quelques fois devant moi avant que j'arrive à l'extirper du carrousel avec l'aide d'un gentil monsieur qui, me voyant tirer sur le bagage pour lâcher prise et recommencer, se porte finalement à mon secours.

Avant de partir vers Montréal, les mamans du quartier sont venues une à une me demander de mettre un sac dans ma valise pour leur enfant étudiant dans ma ville. Les fameux sacs de plastique noirs qui décorent les cactus au bord des routes. On les retrouve partout, ces sacs qui polluent la terre et le paysage. Je ramène donc dans mes bagages ces cadeaux destinés aux amis de M, ne sachant guère ce qu'ils contiennent; elles ont si bien emballé les présents que je n'ai pas osé les ouvrir.

J'avance dans la file et, au loin, chaque fois qu'un voyageur passe les portes coulissantes qui s'ouvrent et se referment aussitôt, je vois mes parents juchés sur la pointe de leurs pieds, le cou bien étiré, me cherchant du regard. Ça y est, ils m'ont repérée. Leurs bras se lèvent dans les airs pour me saluer frénétiquement. Même à distance, je perçois leur soulagement et leur émotion à fleur de peau. Je suis dans le même état qu'eux et, en l'espace d'une seconde, je redeviens leur petite fille. Mes épaules s'affaissent. Je relaxe enfin.

Devant moi, un tout petit chien au bout de sa laisse tire un douanier qui marche lentement derrière lui, épiant la foule minutieusement. Un braque sûrement, j'adore ces chiens trop mignons. Je le trouve encore plus adorable lorsqu'il arrive à ma hauteur et qu'il s'étend de tout son poids sur ma valise. Je suis alors très près de la sortie et, chaque fois que les portes s'ouvrent, j'aperçois mon père qui enlace ma mère. J'y suis presque, mais le petit chien n'est finalement pas si mignon et le douanier encore moins. «Mademoiselle, prenez le corridor à votre droite, je vous prie.»

Je vois le désarroi dans le regard de mes parents alors qu'ils m'observent bifurquer vers la droite au lieu de passer les portes. Des larmes de fatigue et de découragement me montent aux yeux. L'angoisse m'envahit alors que les douaniers fouillent ma valise. Ma respiration s'arrête complètement lorsque, levant les yeux durement vers moi, un douanier me demande ce que je ramène dans ces sacs noirs. Et moi de répondre bêtement : «Je n'en ai aucune idée, monsieur l'agent.»

Un à un, il ouvre les sacs, découvrant des boîtes de thon, des biscuits Lu, des tubes de harissa et des pâtisseries maison. Je souffle de soulagement, ne pouvant m'empêcher de trouver idiot l'envoi de ces produits qui se dénichent facilement dans le quartier arabe de Montréal. Mais un chien douanier ne se couche pas pour une boîte de thon... L'agent passe un carré de tissu blanc sur les sacs et un autre partout à l'intérieur de mon bagage. Il les dépose dans une machine qui, à mon grand étonnement, émet une alarme. Le douanier me demande si je consomme de la drogue, si je suis en contact avec des individus qui en prennent et si je transporte des stupéfiants : NON ! NON et RE-NON ! «Mademoiselle, notre équipement nous indique que vous transportez de la drogue. Heureusement pour vous, ce n'est qu'une infime poussière que nous avons détectée, il n'y aura donc pas d'arrestation.»

La petite fille en moi veut hurler de soulagement, mais je me contiens.

«Il se peut que vous ayez marché dans un endroit où il y a eu consommation ou que les sacs noirs aient été en contact avec de la drogue. Je vous sermonne sur un aspect, pour votre protection et vos futurs voyages : n'acceptez plus jamais de transporter des articles qui ne vous appartiennent pas ! Compris, jeune fille ? »

Je hoche la tête et je le remercie tout bas, la gorge nouée et morte de fatigue. Les douaniers m'abandonnent à mes sous-vêtements éparpillés sur la table, à mes produits de beauté ouverts et dispersés un peu partout et à ma valise complètement renversée. Je remets tout en place pêle-mêle, n'ayant qu'un seul désir : retrouver mes parents sûrement fort inquiets à cause de l'attente trop longue.

Je déteste les douanes.

En Afrique, il y a cet autre chien que M a baptisé simplement « Chien ». Un magnifique teckel mélangé avec je ne sais trop quelle autre race, « un bâtard sûrement », me clame M. L'animal loge entre le studio et la maison familiale, dans un recoin qui devait être jadis une remise. Un carré de terre d'à peine trois mètres sur trois mètres. La vie de Chien n'en est pas une. J'aurais préféré qu'il ait une vie de chien, plutôt que sa vie à lui.

J'espère qu'il est mort. C'est triste à dire, mais, lorsque le souvenir de Chien revient dans mes pensées, ma rage monte et je souhaite qu'il ne souffre plus.

Chien n'a jamais vu l'extérieur de ces quatre murs et tourne en rond dans cet enclos depuis sa naissance. Mon M souhaitait avoir un animal pour ses seize ans. Il l'a eu et l'a enfermé dans cette minuscule prison, lui jetant de temps à autre des restes de nourriture de table. Une fois par jour, il s'amuse à laisser les aliments de longues minutes en dessous de la porte en bois, juste assez loin pour que Chien ne puisse les toucher. Il finit par les lui jeter par-dessus la porte et il oublie son existence jusqu'au lendemain soir.

Chien n'a jamais été caressé, n'a jamais couru, n'a jamais vécu. Je l'entendais gémir parfois la nuit. Il a bien appris à ne pas japper ni hurler. M m'a raconté qu'il l'avait bien éduqué. Lorsque Chien était petit et qu'il jappait, M entrait dans l'enclos et le lançait contre le mur. Un jour, lors de ma première visite et lorsque tout m'était encore permis, j'ai supplié M de le laisser sortir dans le jardin avant. Lorsque j'ai ouvert la porte, Chien a filé vers la cour intérieure et a couru si vite qu'il semblait effaré et hors de contrôle. «Tu vois, m'avait dit M, c'est pour cette raison qu'il reste dans l'enclos, il est incontrôlable, ce chien.»

Fin de Chien.

Reprendre son souffle

F inalement, je peux me jeter dans les bras de mes
parents, qui n'en pouvaient plus de m'attendre,
et je peux enfin souffler à nouveau. C'est en larmes
que ma mère m'ouvre ses bras et me serre contre
elle, me démontrant tout son amour de maman. Je
me laisse imprégner par son odeur qui ne change
jamais. Je me repose enfin sur son épaule après ce
périple troublant et exigeant. Je me blottis par la
suite contre mon père, ému de me retrouver. Fidèles
à leur habitude, papa et maman me questionnent
sur mon voyage et désirent savoir si M pourra finalement revenir au pays. *Statu quo.*

Je ne raconte pas les épisodes d'agressivité de M
et j'embellis mon histoire, leur mentionnant uniquement les beaux et doux moments. À la maison,
mes sœurs m'accueillent avec empressement et je
me sens entourée d'un amour inconditionnel, que
seule une famille peut apporter. Je retrouve ma
chambre et mon lit douillet, la sécurité d'être à
nouveau la petite fille de quelqu'un, et je laisse mes
tracas s'envoler quelques instants.

Nous mangeons le repas de ma maman : ses
fameuses pâtes aux fruits de mer avec une sauce

à la crème et au vin que j'aime tant. La meilleure cuisinière au monde, c'est elle. Et je retrouve mes repères, mon chien Mousse, que je cajole en lui donnant tout l'amour que j'aurais aimé donner à Chien en Afrique. Mes parents me permettent même de téléphoner à ma meilleure amie Martine, qui étudie à Cuba et qui me manque terriblement.

Mes draps fraîchement lavés sentent la lavande, et ma mère ne peut s'empêcher de venir caresser mon front et de me souhaiter bonne nuit, comme lorsque j'étais petite, avant que je sombre dans un sommeil profond et réparateur. Je la laisse faire, elle m'a tant manqué.

SANS RETOUR

Mars. Je n'en peux plus, je suis à bout de nerfs. Je fais deux appels outre-mer chaque jour de la semaine, en raison d'une heure par appel, et cela m'épuise. Mon M veut connaître en détail mes allées et venues. Il ne supporte pas que je ne sois pas à ses côtés. Il devient fou à certains moments, me traitant de tous les noms, et, l'instant d'après, il redevient le prince charmant qui m'a ensorcelée. Il a l'impression d'être en cage et me supplie de le rejoindre, car je suis SA femme et ce n'est pas normal que je ne sois pas près de lui. Il me faxe des lettres d'amour, toutes plus belles les unes que les autres, et je fais de même. Il m'envoie des lectures afin qu'Allah soit de mon côté et je me fais un devoir d'étudier le Coran afin d'en apprendre plus sur la religion de mon homme pour qu'il soit fier de moi.

Entre-temps, je passe des heures au consulat de Montréal, tentant de faire pression, et je communique avec le ministère de la Justice. J'essaie du mieux que je peux de faire avancer le dossier, mais, selon les volontés de M, je devrais être là-bas à faire le piquet devant l'ambassade, pas ici.

À sa demande, ses amis m'entourent et me «protègent». Je reçois leurs appels et leur visite tous les jours et, en plus, à la fin de mes cours, le plus jeune de la bande m'attend afin de s'assurer que personne ne m'emmerde, ou plutôt, me dis-je, que je n'entretiens aucune relation extraconjugale. Par la suite, ils font des comptes rendus à M par Internet ou par téléphone. Je sens constamment des yeux épier mes mouvements, alors je cesse d'entrer en contact avec les gens de l'extérieur de peur que M me pique une colère. Je m'isole peu à peu et je m'habille sobrement des pieds à la tête, malgré le printemps qui cogne à nos portes.

Mes auditions aux écoles de théâtre approchent. J'essaie tant bien que mal de me concentrer sur mes textes et mes répétitions, mais j'ai toujours la voix de M qui résonne gravement, constamment, comme une mélodie pleine de fausses notes, dans le creux de ma tête.

«Comment peux-tu penser à ce métier inutile et futile, alors que je suis pris ici sans issue? Tu n'as pas de cœur et tu n'es pas une vraie femme. Une vraie femme prend soin de son homme et le priorise. Et toi... tu passes ton temps à t'exercer pour un métier de putain?! Tu veux qu'on te voie à la télévision? MA femme ne se pavane pas sur les écrans.»

Je veux tant être LA femme de quelqu'un, surtout de cet homme qui m'aime à l'infini. Il est le seul qui m'aime vraiment, il est l'unique être qui me comprend et qui connaît ma valeur. *Bullshit.* J'ai appris à mentir ce jour-là. Autant à mes parents qu'à lui. Malgré son insistance, je ne laisse pas tomber ce métier que j'exerce depuis mes onze ans. Je cache à mes parents mes appels outre-mer et mon désir de retourner le rejoindre le plus rapidement possible. Double face. Devant ma famille, je laisse croire que je me concentre à nouveau sur mes études et sur l'école de théâtre ; à lui, je raconte que je ne passerai pas mes auditions et qu'il a raison. Ce métier est effectivement celui d'une salope.

J'ai saboté mes auditions dans les grandes écoles. J'ai volé l'argent que mes parents avaient épargné depuis ma naissance pour mes études universitaires. Et je me suis acheté un billet pour repartir.

Cette nuit-là, j'ai fait ma valise et, en douce, je l'ai cachée dans le véhicule de mon père alors que mes parents dormaient.

Le lendemain matin, comme d'habitude, je me suis levée, puis papa et moi sommes montés dans la voiture pour nous rendre à son lieu de travail. Depuis mon retour, je travaille à temps partiel pour sa compagnie. Sur l'heure du midi, j'ai menti à mon père, lui demandant les clés de son véhicule, car j'avais oublié mon sac à main à l'intérieur. J'ai sorti ma valise de la voiture et je suis montée dans un bus menant à l'aéroport.

Rien ne me fera flancher. Je suis droite, fière et personne ne pourra m'empêcher d'aller rejoindre mon M. Un taureau aux longs cheveux blonds, une tête de mule, c'est tout moi, je suis née en mai, je n'y peux rien.

Une fois les douanes passées et qu'aucun retour n'est possible, je prends le téléphone public, j'y enfonce une pièce de vingt-cinq cents et je compose le numéro de téléphone de mon père.

— Papa ? dis-je alors que ma voix se casse. Je suis à l'aéroport et mon vol décolle dans moins d'une heure… Je pars.

Je n'oublierai jamais la voix de mon papa qui est devenue instantanément toute petite et fragile.

— Sophie… ne fais pas ça… Ce n'est pas vrai, Sophie, ma fille, mon amour, s'il te plaît. Attends, ne pars pas.

Les larmes coulent sur mon visage, mais j'ai fait mon choix. Et pour être certaine de ne pas me dégonfler, j'ai pris un billet aller seulement… Sans retour.

— Dis à maman que je l'aime et ne m'en veux pas. Je t'aime, papa.

Et j'ai raccroché.

J'ai quitté ma vie, ma famille, mes amis, mon moi. J'ai tout quitté pour l'homme que j'aime et, comme dans un film, l'avion a décollé et j'ai eu mal à mon âme.

JE SUIS DÉSOLÉE, PAPA

Mon papa reprend soudainement la parole dans le bureau de Me Savoie. Je sens qu'il a besoin de s'exprimer à son tour. Peut-être veut-il que je comprenne mieux sa douleur ? J'avais déjà compris. Jusqu'à ce jour, je ne me suis pas pardonné d'avoir fait du mal à mes parents, ni de les avoir volés, ni d'avoir peut-être fait flancher leur mariage. Je m'en veux et je ne saurai jamais comment me faire pardonner.

« Depuis des mois, je vois ma fille maigrir à vue d'œil et abandonner tout ce qu'elle bâtit depuis son enfance, autant son identité que son métier de comédienne. Elle a laissé tomber sa vie pour cet homme que nous ne voulons pas juger, mais qui la contrôle à distance, nous le voyons bien. Mon épouse et moi avons essayé de lui faire entendre raison calmement, et je l'ai brassée aussi en perdant le contrôle. Je n'avais aucun moyen d'atteindre ma fille, ni par la douceur ni par la colère. Nous l'avons traînée de force chez un psychiatre, la croyant dépressive, mais elle n'a jamais voulu collaborer. Depuis des mois, elle n'a qu'une trajectoire en tête et nous sommes impuissants devant ses actes. J'aurais aimé la kidnapper et l'amener loin de lui. Je n'ai pas revu ma fille pendant des mois après ce matin où je l'ai amenée au bureau sans savoir qu'une valise était dissimulée dans le coffre de ma voiture. J'ai eu tellement mal. Je me sentais si impuissant.»

ADOPTER UNE TERRE

Mon M est venu me chercher à l'aéroport et nous nous sommes enlacés pendant de longues minutes, fondant nos regards l'un dans l'autre et frémissant au contact de nos lèvres. Je prends sa tête entre mes mains et je plonge intensément mes yeux dans les siens, qui sont si noirs, si remplis d'intensité.

— *Y'all baby* (c'était notre surnom d'amour), je n'ai pas de billet de retour. Je suis là pour vrai, jusqu'à ce que tu reviennes avec moi.

Le torse de mon M se bombe de fierté. Il appuie ma tête contre son cœur en me caressant doucement les cheveux. Mon M est grand et mon corps se fond dans le sien, tel un moule parfait. Il tremble. Il a maigri lui aussi, je le trouve frêle, blême et fatigué.

— Tu es ma femme, me susurre-t-il à l'oreille. Viens, rentrons.

Un frisson me parcourt l'échine. Sa façon de dire «MA femme» me laisse un arrière-goût désagréable dans le fond de la gorge. À ce moment, j'ai su que mon billet sans retour lui donnerait un pouvoir qu'il ne se gênerait pas d'exercer.

Nous avons de nouveau parcouru les routes acci-
dentées jusqu'au village de mon M. Je reconnais
l'odeur du diesel, de la terre et du sable. Je sens la
chaleur qui fait perler la sueur sur mon front. Je
revois le paysage parsemé de cactus et de champs
d'oliviers. Je tiens la main droite de mon M alors
qu'il conduit la vieille Mercedes de la gauche, à
toute allure, dépassant les chariots de foin roulant
trop lentement, et les ânes traînant des ordures et
des déchets trop lourds pour leurs maigres sta-
tures. Nous avons cinq heures de route devant
nous. M me questionne sur mon emploi du temps
à Montréal. Je lui raconte du mieux que je peux le
dernier mois passé sans lui en insistant sur la douleur que je ressentais loin de lui et en lui répétant
combien il me manquait. Dehors, il fait encore jour.
Je m'enivre de la beauté de ce pays que j'adopterai
pour les prochaines semaines. Des semaines qui
deviendront des mois.

LAISSER TOMBER
LES MASQUES

Ça y est, mon statut d'invitée est désormais chose du passé. Je l'ai compris lorsque maman M a jeté un linge sur la table devant moi alors que je regardais la télévision dans le salon de la maison familiale, lequel nous squattons trop souvent. Je suis arrivée depuis quelques jours et M ne m'apporte plus mon café à mon réveil. Il se lève, sort du studio et franchit la courte distance qui le sépare de chez ses parents. La première journée, j'ai attendu qu'il revienne, mais, les minutes se faisant trop longues, je me suis légèrement habillée vu le soleil de plomb, et je suis allée le rejoindre à la porte d'à côté. Il était affalé sur le sofa du salon, un café à la main et un petit-déjeuner concocté par sa mère devant lui.

— As-tu faim ?

— Non, mais je prendrais bien un café, lui dis-je, tout sourire.

— *Y'a Ma !* Apporte un café à Sophie.

Sa mère est apparue dans le cadre de la porte et a lancé avec véhémence :

— Je ne suis pas sa servante. Qu'elle se le fasse, son café ! Et qu'elle ramasse tes miettes aussi !

Loin de moi l'idée qu'elle me serve mon café. Écarlate et la bouche légèrement entrouverte, j'étais déconcertée par cette nouvelle attitude. Elle m'a regardée d'un air hautain et réprobateur et a dit à M :

— Et qu'elle ne se montre pas dans cette tenue, c'est la honte.

Voilà… je ne suis plus une touriste. Je baisse les yeux sur mon accoutrement, un short et un t-shirt, rien de catastrophique.

M esquisse un rictus.

— Tu l'as entendue ? Elle a raison. C'est la honte. Mes amis arrivent, va te changer.

Je voulais riposter, mais, ne voulant pas aggraver la situation ni provoquer la colère de M, je suis retournée en silence au studio pour enfiler une jupe tombant sur mes chevilles et un chandail à manches longues. Je comprends les coutumes du village (car, dans les grandes villes, les jeunes femmes sont libérées et s'habillent comme elles le désirent), mais je ne pensais pas devoir m'y soumettre, moi, femme de l'Amérique.

Et ses amis arrivent ? Apparemment, M ne me consulte plus et ne me demande plus mon avis ni mon opinion sur ce que nous faisons de nos journées.

Les amis de M sont constamment à la maison. Ahmed arrive le premier, trop tôt en avant-midi, et part toujours le dernier, trop tard en soirée. Il amène des cigarettes pour tous, comme si c'était son prix d'entrée pour faire partie de la bande. M ne donne ni de son temps, ni de son énergie, ni de son savoir gratuitement. Je suis ébahie de voir les voyous du coin se rassembler autour de M, attirés par lui comme s'il était l'aimant le plus puissant de la planète. Ahmed a trente-quatre ans et habite encore chez ses parents, car il n'a pas trouvé de femme à marier. Je fus surprise d'apprendre son âge, je pensais bien qu'il approchait la mi-quarantaine. Il est l'aîné d'une trâlée de neuf enfants, le plus jeune venant tout juste de sortir des couches, et il partage sa chambre avec son frère cadet. Il est maigrelet : ses traits sont tirés, ses rides sont creuses sur son visage et ses épaules sont courbées vers l'avant. Je l'observe. Il a les yeux tristes qui tirent vers le bas et ne parle que d'un sujet : trouver le moyen de quitter le village afin de s'installer outre-mer et de refaire sa vie. Il n'a pas d'emploi et dépend de ses parents pour survivre, jour après jour. Dans ce pays, la coutume veut que les enfants ne quittent la maison que lorsqu'ils ont trouvé une femme ou un mari.

Ahmed et M s'installent donc dans la cour intérieure et discutent de longues heures en jouant aux cartes et en fumant des cigarettes, les fameuses Mars, les moins chères. Je commence à détester cette cour intérieure. Les hauts murs en béton qui encerclent la maison et le studio m'empêchent de voir la rue. Je m'assois avec eux et je tente de suivre la conversation, mais c'est impossible, car je comprends peu la langue. L'arabe domine et, de temps en temps, je capte un mot en français, mais ce n'est pas suffisant pour que je puisse suivre le fil de la discussion. Je me rabats sur mon livre de chevet et j'espère un appel de l'ambassade qui nous informera que M peut revenir au pays. Je le souhaite si fort. Et je souhaite fort aussi qu'Ahmed débarrasse le plancher pour que M et moi nous retrouvions un peu seuls. Ça ne fait que quelques jours que je suis arrivée et déjà les amis de M stagnent autour de lui comme des moustiques attirés par la lumière.

Maman M apparaît dans l'embrasure de la porte d'entrée et me tend le téléphone de la maison :

— Sophie! Tes parents au téléphone.

Les émotions prennent d'assaut mon petit corps. Maman est à l'autre bout du fil. Je sais que M déteste mes parents ainsi que tout ce qui touche ma culture nord-américaine et je sens le stress monter en moi. D'une part, parce que leur silence depuis mon arrivée m'a torturée et, d'autre part, parce que je sais qu'une boule fera surface dans ma gorge et que je devrai la cacher. J'ai peur d'éclater en sanglots. J'essaie d'oublier mes parents depuis que l'avion a quitté mon pays natal et, ainsi, de geler mes émotions parce que les ressentir me fait trop mal.

M m'observe du coin de l'œil. Il est d'un calme à éveiller les soupçons. Il lève son index en me signalant d'attendre. Je ne comprends pas, mais j'attends tout de même avant de prononcer un mot, le combiné bien plaqué contre mon oreille. Je sais que ces secondes d'attente coûtent une fortune à mes parents. M disparaît dans la maison et j'entends le bruit d'un deuxième téléphone qui se décroche. Je rêve? Va-t-il vraiment écouter notre conversation?

Mon papa et ma maman sont tous les deux au bout du fil et, lorsque je leur dis bonjour dans un sanglot réprimé et contrôlé, c'est maman qui éclate en larmes en me posant des questions en rafales, mais tout en douceur. Je reste froide et distante, un sourire dans la voix, leur disant que je suis bien arrivée et que tout va bien. Maintes fois ils ont tenté de me joindre par téléphone, mais je n'étais pas disponible, selon les dires de maman M. Je serre les dents. Comment a-t-elle pu leur mentir de la sorte et, surtout, pour quelles raisons ? Je leur raconte à quel point M et moi sommes heureux d'être à nouveau réunis et que nous travaillons fort pour obtenir son visa. Je mens pendant plusieurs minutes, leur racontant une vie de rêve, mais je n'ai qu'une seule envie : leur crier que j'ai gaffé et que je n'aurais jamais dû repartir, que je m'emmerde, que M n'est pas gentil et qu'il m'a reléguée aux oubliettes. Je voudrais tellement leur avouer que je ne me sens pas bien et que je veux un billet pour revenir. Nous raccrochons en nous promettant de nous appeler une à deux fois par semaine. «M vous passe le bonjour, leur dis-je, et toute la famille aussi. Tout le monde a bien hâte de vous rencontrer (mensonge).»

Au moment où je raccroche, je vois M passer devant moi en me scrutant lentement de la tête aux pieds. Il file vers le studio et revient avec mon passeport, qu'il glisse dans sa poche en s'assurant que je remarque son geste en *slow motion*.

Petits monstres
à pattes

C'est pour ma sécurité, qu'il m'affirme. Mon passeport est beaucoup mieux entre ses mains que dans ma valise, au studio, où n'importe qui pourrait décider de me le voler, même ses amis. Il n'a confiance en personne, c'est non négociable. Mon passeport est dans un endroit sécuritaire que lui seul connaît. J'avoue que ses arguments tiennent la route, mais le fait qu'il ait écouté ma conversation téléphonique avec mes parents et sournoisement glissé mon passeport dans sa poche ne m'inspire pas confiance. Quelle mouche l'a piqué ? Pourquoi devient-il parano tout à coup ?

— Ne cherche pas des bestioles où il n'y en a pas, me répond-il durement. Je te sors ce soir, alors change d'attitude.

Oui, parlons-en, des bestioles ! En levant le tapis du studio ce matin, question de passer un coup de balai, j'ai hurlé de dégoût en voyant des insectes aux longues antennes se diriger vers moi. Je suis sortie en courant, mes bras s'agitant dans les airs en essayant de chasser les petites bêtes que je craignais de voir grimper sur mon corps. Des dizaines de coquerelles ont pris comme logis le dessous de la carpette, sans compter celles sur le mur de la chambre et sous le sofa. Mon pied gauche s'est levé et, dans un bruit croustillant, j'en ai écrasé une avant de m'enfuir à l'extérieur. Alerté par mes cris, M est sorti de son inertie télévisuelle et est venu me prêter main-forte. Il déteste les blattes autant que moi et, à deux, nous avons combattu à coups de pelle et de pesticide ces petits monstres à pattes. Nous avons ri à nous rouler par terre en nous voyant tous les deux, pelle à la main, essayer d'attraper ces bêtes qui se déplacent aussi vite qu'un coureur olympique. Un fou rire à n'en plus finir, c'était si bon et ça faisait si longtemps. Un moment magique qui a détendu l'atmosphère et qui a tiré M hors de son mode marabout et dépressif.

N'ayant pas le droit de sortir seule, je suis folle de joie à l'idée de cette sortie surprise que m'organise mon M. Je sais que je ne suis plus en «vacances» et que le quotidien est tout autre que lors de mes séjours précédents, mais le fait de ne pouvoir sortir à mon gré handicape mon humeur et mon estime de moi. Je ne fous rien depuis que je suis ici, sauf passer mes journées à regarder TF1 et à fumer ma ration de clopes. Sans le sou, puisque j'ai tout flambé en achetant mon billet d'avion, je dépends donc de M pour les cigarettes, la bouffe et tout le reste. Il est impossible de me trouver un travail et, de toute façon, je ne pense pas que nous sommes ici pour longtemps. Donc, nous avons décidé de survivre en nous contentant de peu et, avec l'aide de ses parents, on s'en sortira.

Me sentir dépendante de quelqu'un est la pire sensation que je connaisse. Après ma vie avec M, j'ai longtemps refusé qu'on me gâte ou qu'on m'aide à subvenir à mes besoins. Par fierté, certes, mais aussi parce que j'ai une aversion profonde pour ce sentiment de dépendance. J'aime être libre et, désormais, je refuse les situations qui me font sentir prise au piège ou redevable.

J'enfile donc une chemise que je trouve tout à fait convenable et un pantalon long en lin blanc, parfait pour les nuits chaudes et étoilées comme ce soir. Les étoiles ici sont grandioses et s'étendent à perte de vue. Le village est à peine éclairé, ce qui laisse place au spectacle que nous donne le ciel. Je prends le temps de l'observer et, levant la tête vers les cieux, j'entends l'appel à la prière qui résonne dans les haut-parleurs placés méthodiquement dans le village. Je me laisse bercer par ce chant rassembleur et en profite pour faire ma prière à ma façon. Je prie pour mes parents afin qu'ils comprennent mon choix, je prie pour mon M afin qu'il sorte de ce bourbier et qu'il retrouve sa joie de vivre et ses qualités d'avant. Je prie pour moi, pour que j'aie la force de le soutenir et de passer au travers de cette épreuve avec lui, et je prie pour que nous rentrions au pays le plus rapidement possible.

J'ai dû oublier de prier pour que la soirée se passe bien. M me trouve particulièrement jolie ce soir et c'est avec fierté qu'il m'exhibe devant les quelques amis présents au bord de la piscine publique où une fête a lieu. Hommes et femmes dansent au rythme du raï, il y a de la nourriture à profusion et des ballons accrochés aux palmiers. L'alcool s'est infiltré en douce dans la fête grâce aux plus aventureux, y compris mon M, qui traîne un sac à dos rempli de bière locale. Je ne sais pas si c'est à cause de mon manque de socialisation ou de ma réclusion forcée, mais j'ai l'énergie d'une petite fille de six ans au premier jour de classe. Je saute pratiquement sur place et, le traînant par la main, j'amène M au milieu de la piste de danse pendant que ses amis prennent place autour d'une table libre au bord de la piscine. L'espace d'un moment, je me retrouve comme autrefois, au sommet du plus haut immeuble de Montréal, avec mon M, dans la splendeur de notre complicité. Je sens tout à coup l'énergie de mon homme se transformer, ce qui me ramène à la réalité : je ne suis pas à Mont-réal, je suis dans un village perdu au milieu de nulle part et mon M ne veut plus danser. « Ça suffit », dit-il en regagnant la table où une chaise en plas-tique blanc l'attend. Je le suis et je prends place à ses côtés. Les regards qu'un groupe d'hommes posent sur la « fille blanche » cassent mon plaisir et font vaciller mon M.

— Tu rentres à la maison ! Évidemment, tu n'es pas tenable et tout le monde te regarde. Je ne peux pas te sortir, aboie-t-il.

Je proteste, lui affirmant que je n'ai plus envie de danser et que je resterai sagement assise avec lui, mais il est intransigeant.

— Ahmed, va la reconduire.

Et ma sortie prend fin aussi abruptement qu'elle a débuté. Pourquoi suis-je allée danser ? Il y avait pourtant plusieurs jeunes filles qui se trémoussaient sur la piste, dont une particulièrement jolie d'ailleurs, que même mon M regardait.

Je m'en veux, je suis fâchée contre moi, contre lui, contre les hommes qui m'ont regardée. Je m'enferme entre les quatre murs du minuscule studio avec, comme seules amies, les coquerelles. Je pleure, ce soir-là, me demandant pourquoi mon M a tant changé. Je m'ennuie de ma vie, de mes parents, de mes amis, et je fais ma valise le plus lentement possible. Je ne veux pas réellement partir et, de toute façon, je n'ai ni passeport ni argent pour prendre un de ces taxis à bas prix pouvant m'amener à l'aéroport. En plus, il me faudrait traîner mes bagages à travers les rues noires du village, à pied, en plein milieu de la nuit, jusqu'à l'endroit où se trouvent ces taxis. Je souhaite que mon M me surprenne à faire ma valise, qu'il me prenne dans ses bras, en me demandant pardon, qu'il me supplie de rester et qu'il me fasse la promesse que nous serons heureux ensemble jusqu'à la fin de nos jours.

Il rentre un peu plus tard avec sa bande et me surprend effectivement à faire ma valise. Les autres attendent dehors. Avec un sourire en coin, il m'applaudit. Ses mains frappent l'une dans l'autre et, moi, debout devant lui, j'ai la rage au ventre. Il me dit que j'ai tout compris.

— Bravo, *ya kahba*. Tu lis dans mes pensées. Va-t'en, je n'ai pas besoin d'une salope comme toi qui se donne en spectacle.

Il claque la porte et va s'asseoir dans la cour intérieure avec ses admirateurs.

Je ne sais plus quoi faire. Prise au piège par mon propre plan, je défais ma valise et je vais le rejoindre. Doucement, je m'approche de lui et je l'enlace en m'excusant doucement dans son oreille. Il se détend et m'assoit sur ses genoux. Je passe le reste de la soirée enlacée à mon homme, m'excusant encore de temps à autre, écoutant leur conversation, et je m'enfuis dans ma tête.

VOLCAN TRANQUILLE

Nous sommes à la mi-avril et plus les jours passent, plus la température grimpe. Récemment, une vague de chaleur inattendue s'est abattue sur le village. Comme les vêtements que je porte habituellement lors des canicules nord-américaines ne sont pas admis ici, je me contente de rêver de mer et de baignade dans les eaux paradisiaques de la Méditerranée en suffoquant sous les manches longues de mon pull printanier. Je rêve aussi d'une escapade en tête à tête avec mon M pour me reconnecter à lui. Depuis la « sortie » qui s'est terminée en queue de poisson, nous passons nos journées devant le téléviseur avec des ventilateurs braqués sur nous et flânons dans la maison pendant que le temps passe. Je n'ose plus lui demander de sortir, préférant éviter une colère probable.

Mon M s'est un peu adouci. Son volcan intérieur est tranquille pour l'instant. Il sort parfois nous acheter un cola, mais revient aussitôt, ce qui me soulage, car, dès qu'il passe la porte, je ne sais combien de temps je resterai à l'attendre, seule, derrière les murs de béton.

De temps à autre, lorsque M s'échappe de son marasme, j'ai l'impression que le monde pourrait nous appartenir. Dans ses bons jours, il me fait sentir belle comme une princesse des temps anciens. Mon ego enfle. Je bois ses paroles, que je prends bien soin de mettre dans une petite boîte à l'intérieur de ma tête et dont je me nourris lors des moments plus gris.

Un matin, il m'a même préparé un café dont je me suis régalé et, un midi, il est sorti nous acheter un *kesra bech'ham*, un petit pain fait avec du gras d'agneau farci à la viande ou au fromage que nous trouvons chez la boulangère du coin. Cette dernière tient son commerce dans un petit *stand* ouvert sur la rue et, parfois, l'odeur du pain se rend jusqu'à notre maison, surtout au petit matin, lorsque les fourneaux s'activent pour le petit-déjeuner.

Après le lunch, nous faisons l'amour. Je m'accroche à ces instants merveilleux qui me font me sentir en vie à nouveau.

UNE BAGUE AU DOIGT ET UNE LAISSE AU COU

Nous nous marions le 25 avril 2001. La demande en mariage n'en a pas été une véritable, ce fut plutôt une constatation évidente que je ne pouvais refuser. Depuis que je suis toute petite, je rêve d'une grosse robe de mariée bouffante, agrémentée de fleurs blanches, de dentelle et de taffetas, et d'une fête où je suis l'Altesse royale, l'instant d'une nuit. Déjà, petite fille, je voulais tout : me marier avant mes vingt-quatre ans, avoir des enfants tout de suite après, habiter dans une grande maison avec une piscine creusée et un jardin ; le rêve américain, quoi !

Un soir, alors que nous discutons de l'islam et que M m'enseigne les bases de cette religion, un éclair lui passe dans les yeux. Il lance tout bonnement qu'il ne supporte plus que je ne sois pas sa femme devant Dieu et que nous allons nous marier incessamment. On est loin de l'idée que je me faisais de la grande demande en mariage, où larmes et étonnement font partie de la fête. Je suis tout de même surprise de son idée spontanée et, en ricanant, je lui demande de se mettre à genoux au moins pour recommencer sa demande, ce qu'il fait.

— Sophie, ce soir, c'est sous mes étoiles que je te demande d'être ma femme et de vivre dans la légitimité. Je te veux mienne devant Allah.

J'acquiesce, lui sautant au cou et l'embrassant de toutes mes forces. Peut-être que, si je deviens sa femme, Dieu rétablira l'ordre dans nos vies, que l'humeur de M sera moins changeante et que son volcan intérieur restera tranquille ? Peut-être que son visa s'obtiendra plus facilement et que la clé de notre bonheur se trouve dans une alliance ? Pourtant, en passant cette bague à mon doigt, c'est une laisse à mon cou qui se noue et un pacte avec le diable que je signe. Personne ne veut être la femme d'un monstre.

L'annonce à ses parents est simple. De mon côté, je suis très excitée à l'idée de leur partager la nouvelle. Dans ma tête, j'ai un scénario bien monté : un film où M et moi réunissons famille et amis afin de leur faire la grande annonce, mais ce n'est pas le cas… Nonchalamment, M demande à sa mère de préparer un couscous pour le souper et, une fois à table, il leur annonce simplement que nous allons nous marier d'ici trois jours à la mairie du village, à l'heure du dîner, afin que ses parents n'aient pas à prendre congé du boulot.

Son père, fidèle à lui-même, lance : « *Behi* », ce qui signifie « oui » en arabe.

Je crois que, durant tout mon séjour parmi eux, son père n'a prononcé aucune phrase complète. Mis à part un jour, je me rappelle… Il était revenu soûl à la maison et j'étais assise dehors, la peine au ventre et plus seule que jamais. Cela faisait des mois que j'étais au pays du sable, sans contact avec ma famille ou mes amis. Papa M s'est assis sur les marches à mes côtés et m'a marmonné un étrange conseil :

— Tu sais… Si ça ne marche pas avec mon fils, tu le quittes, c'est tout. D'accord ? M n'est pas facile à vivre.

J'ai hoché la tête, étonnée de cet aveu prononcé sans retenue sous les effluves d'alcool. Dans ses yeux, j'ai vu la compassion. Il a connu les colères et les sautes d'humeur de son fils, il a vu l'agressivité et la rage qui détruisaient tout sur son passage, et c'était sa façon à lui de m'avertir. Je n'avais pas besoin de subir la violence et la terreur semées par son fils.

Donc, *behi* de la part de son père et un « Ah oui ? » du côté de sa mère. Elle ricane un peu, je ne comprends pas pourquoi, puis elle me demande d'un ton méprisant et hautain ce que je vais porter. Dans ma valise, je n'ai malheureusement pas de robe blanche de Cendrillon, alors maman M me propose de regarder dans sa garde-robe afin de dénicher un beau tailleur. Ne voulant pas la contrarier, je porterai un de ses ensembles à mon mariage, bien qu'elle ait une tête de moins que moi et plusieurs tailles de plus… Plaire. Plaire. Plaire.

Jour J.

Je suis prête. J'ai pris soin d'onduler mes longs cheveux blonds moi-même, M m'ayant interdit de me rendre chez la dame qui coiffe les jeunes filles du village, de peur qu'elle me rase la tête ou qu'elle me teigne en noir par jalousie. « Les femmes ici sont des sorcières, Sophie, ne l'oublie pas. »

Je ne sais pas s'il m'implante ces notions dans le cerveau afin de me protéger et de me contrôler, ou parce que les femmes d'ici sont de véritables sorcières. Tout ce que je sais, c'est que je ne fais plus confiance à personne, que je ne me confie pas et que je ne parle qu'à M.

J'ai utilisé des fleurs blanches en tissu pour agrémenter ma coiffure et je me suis discrètement maquillée : j'ai tracé une fine ligne noire sur mes paupières, puis j'ai mis du mascara ainsi qu'un peu de fard à joues pour colorer mes pommettes. Ensuite, c'est à contrecœur que je laisse tomber ma robe de chambre pour enfiler la tenue choisie par maman M… Si ce n'était que de moi, je me marierais en peignoir. Au moins, ma robe de chambre est blanche et épouse les courbes de ma taille fine.

Je ressemble à une patate mauve. Maman M a passé une partie de la nuit à recoudre son tailleur, mais il n'est pas plus ajusté malgré les modifications temporaires qu'elle y a apportées. Je me sens moche, moche, moche, et idiote aussi. Je respire profondément afin de ne pas mouiller mes yeux, mais l'image de ma mère qui surgit dans ma tête vient tout gâcher. *Que suis-je en train de faire ? Je me marie sans mes parents, avec un homme au tempérament imprévisible, dans un pays qui ne m'aime pas, entourée d'inconnus et en tailleur violet trop grand pour moi de surcroît. J'ai le vertige. Maman. Où es-tu, maman ?* Seule dans le studio, je reprends mon souffle et je chasse son image de ma tête. C'est un beau jour, mon M va me passer la bague au doigt, j'en rêve depuis ma tendre enfance et tout rentrera dans l'ordre sous peu. De plus, je crois que, en étant mariés, nous aurons plus de pouvoir pour faire revenir mon M au pays. Je sèche mes larmes et je retouche mon maquillage. D'un pas décidé, je sors du studio en plaquant un sourire sur mon visage bronzé.

Mon M porte une chemise blanche cintrée, légèrement entrouverte, laissant voir son corps de rêve. Il est magnifique.

Nous marchons jusqu'à la mairie, qui se trouve à quelques pas de la maison. J'ai au moins mis mes talons hauts pour l'occasion et je crois bien que personne ne m'en tiendra rigueur aujourd'hui.

Marcher dans les rues du village me fait le plus grand bien et voir d'autres paysages que ces fichus quatre murs me permet de mieux respirer. Nous croisons quelques amis qui sirotent leur café en nous saluant de la main. J'aimerais bien tenir celle de mon homme, mais, dans son pays, c'est interdit en public. Je dois me rappeler que je ne suis plus une touriste. Peut-être que ce sera différent une fois notre union scellée devant Dieu?

Le village est petit et, rapidement, nous arrivons à la mairie où nous reçoit le premier vice-président, qui agit à titre d'officier de l'état civil. M et moi prenons place devant son bureau, alors que M. et Mme M s'assoient derrière nous. Ils sont nos témoins.

L'officier prend la parole en arabe. Je n'y comprends rien, alors M me traduit tout bas les paroles de l'homme. Les futurs époux doivent se traiter « avec bienveillance ». Ils doivent éduquer leurs enfants et faire leur devoir conjugal « conformément aux usages et à la coutume ». Le mari étant désigné comme chef de famille, il doit subvenir aux besoins de son épouse et de ses enfants « dans la mesure de ses moyens », la femme ne devant y contribuer que si elle possède des biens.

L'officier conclut en demandant que la dot soit mise sur la table. M sort un dollar de sa poche, qu'il dépose à l'endroit indiqué.

L'officier continue son discours, en français cette fois-ci :

— Madame, déclarez-vous que vous consentez au mariage et que vous acceptez de prendre pour époux monsieur M pour une valeur d'un dollar ?

Un dollar ? Je comprends la symbolique de ce geste, mais je ravale tout de même ma salive, étonnée d'être épousée pour un dollar…

Je regarde mon M et je lui glisse à l'oreille :

— C'est maintenant que je dis « Oui, je le veux » ?

Il hoche la tête.

L'émotion a grimpé, mais le lieu et l'atmosphère ne sont pas propices à une démonstration émotive. Je me retiens donc et je prononce dans un souffle mon « Oui, je le veux ».

Je n'oublierai jamais le sourire sournois de sa mère, qui démontre un je-m'en-foutisme fort révélateur. Elle ne peut s'empêcher de pousser un rire bête lorsque nous échangeons nos anneaux, mais je crois bien être la seule à l'entendre. Elle aurait probablement voulu que son fils épouse une femme qu'elle aurait choisie, avec des coutumes et des traditions qui lui collent à la peau. Mais non, il fait toujours à sa tête et il épouse une Américaine qui ne sait pas tenir une maison. Je sais qu'elle le pense au fond d'elle-même. D'ailleurs, comment peut-elle me respecter alors qu'elle voit son fils me manquer de respect ?

M prononce à son tour le « Oui, je le veux » et ouvre une petite boîte rouge contenant ma bague. MA bague !! Elle est en or et un diamant carré surélevé brille au centre. Lorsqu'il me la passe au doigt, je suis folle de joie et si fière, car je ne savais pas qu'il avait pris le temps de m'acheter une bague. Il a aussi choisi la sienne, que je lui enfile à l'annulaire. Dans ce pays, les hommes ne portent pas l'or, donc la sienne est plaquée d'argent, simple et très mince.

— On est mariés, *y'all baby* !

Il est heureux. Il ne reste qu'à signer les registres. Mes documents sont en français, je peux donc survoler les papiers du regard. Je m'arrête sur les mots : « Les deux conjoints ont opté pour le régime des biens communs. » Nous en rediscuterons plus tard, le temps presse et je me vois mal débattre de ce sujet devant l'officier et nos témoins, maman et papa M.

De retour à la maison, on trouve l'ami parasite de M, le malheureux Ahmed, qui nous attend dans le jardin avec un gâteau préparé par sa jeune sœur et qu'il a pris soin de faire décorer tout en blanc. Les parents de M sont retournés au boulot et je file me débarrasser de mon accoutrement mauve avant de me jeter dans le dessert. J'aimerais tant appeler mes parents afin de leur annoncer la nouvelle, mais je préfère m'abstenir d'évoquer ce désir qui brûle en moi. Je ne veux rien gâcher et je sais que mon mariage les accablera. Je remets donc mon armure et j'enfouis cette pensée loin au fond de moi.

De nombreux amis passent manger leur part de gâteau et ils ne peuvent s'empêcher d'afficher leur vénération envers M, l'homme qui a épousé une Blanche. Les tapes dans le dos et les regards admirateurs fusent de partout, les hochements de tête entendus et complices me glacent le sang. J'ai envie de hurler que c'est par amour que nous nous sommes épousés, non pas pour les papiers.

J'ai mangé trois, voire quatre parts de gâteau. Un délice, cette meringue ! Je devrais me sentir au sommet de mon échelle de bonheur, mais un je-ne-sais-quoi handicape ma possibilité d'être heureuse et ampute ma joie. Je suis triste à mourir. Où sont mes amis, ma famille, mes proches ? On ne se marie qu'une fois dans une vie et, au fond de mes entrailles, j'éprouve la conviction que j'ai abîmé cette chance. La petite Sophie disait non, mais la grande Sophie ne l'a pas écoutée. Debout dans un coin du jardin, entourée d'hommes qui ne parlent pas ma langue et d'un chien qui hurle sa solitude, je mange mes émotions et je réalise que, bien que nouvellement mariée, je ne me suis jamais sentie autant célibataire.

BERCÉE PAR SES COUPS
DE PIED

C e matin, M est sorti. Il devait aller au café pour
une heure, tout au plus. Or, il est près de midi
et il n'est toujours pas de retour. Je suis seule à la
maison et je m'épile les jambes à la pince. J'ai déjà
lu tous les livres qui se trouvaient dans le studio.
J'en ai marre des feuilletons d'après-midi sans profondeur qui passent en boucle sur TF1 ou M6, et
je suis lasse d'essayer d'apprendre l'arabe par moi-
même. Alors, assise au soleil, à l'abri des regards
et cloîtrée derrière les clôtures de béton, je tire sur
mes poils, un à un, tel un automate. Poil par poil,
je les arrache, le dos courbé, et le mal à l'âme.

C'est souffrant, mais le temps passe plus vite
ainsi. Je suis enfermée depuis des semaines, prisonnière de ces hauts murs de béton, et je deviens folle
de voir le même paysage, heure après heure, jour
après jour. Je cogne ma tête contre les murs, j'égra-
tigne mes ongles sur le parquet, je fais les cent pas.
De temps à autre, j'ai aussi l'habitude de prendre
un couteau et de m'entailler en surface les avant-
bras pour changer le mal de place. Maintenant, je
me fais souffrir autrement pour essayer d'oublier
mon mal de vivre et ma solitude. Je sors Chien sans

le dire à personne. Lorsque je suis seule, il est libre de courir dans le jardin autant qu'il le désire et je m'amuse avec lui en prenant soin de garder mes distances, car Chien est éclopé et a un tempérament qui ressemble à celui de son maître. Je ne sais pas s'il me mordrait, mais une morsure me trahirait.

Le haut d'une tête brune apparaît dans le portique. Je déchiffre ce qu'elle crie en arabe de l'autre côté :

— Allo ? C'est Leïla ! Il y a quelqu'un ?

Je laisse tomber la pince et je recouvre rapidement mes jambes de ma tunique. Timidement, je m'avance vers la clôture et j'ouvre le grillage, découvrant une belle jeune femme de mon âge portant un jean ajusté ainsi qu'un t-shirt simple.

Je suis gênée, car je l'accueille dans un habit traditionnel que maman M m'a offert : une *djellaba* bleu foncé tombant sur mes chevilles, aux manches semi-longues et ornées de broderies dorées. J'ai tout de même les cheveux bien coiffés et les yeux maquillés, mais le vêtement que je porte ne me ressemble pas et n'aide pas à alimenter mon estime de moi, qui s'affaiblit de jour en jour.

— Bonjour, me lance-t-elle en français avec un accent prononcé. Alors, c'est toi la jeune épouse de mon cousin ?

Sa bonne humeur et son entrain m'apportent un vent de fraîcheur et, de plus, elle parle français ! Je comprends qu'elle est la fille de la meilleure amie de maman M et, étant de retour au village pour quelques semaines, elle prend le temps de nous visiter. Par curiosité, certes, mais aussi par respect, me dit-elle naïvement.

Puisqu'il n'y a que moi à la maison, elle reviendra plus tard, mais souhaite vivement m'inviter au hammam cet après-midi, dans le but de se refaire une beauté. J'ai envie d'accepter tant on a encensé le hammam d'ici, avec ses salles d'eau et ses bains de vapeur bâtis selon l'architecture romaine, où la chaleur dilate les pores de la peau pour faciliter un nettoyage en profondeur. Je rêve de nettoyer ma peau et de peut-être ainsi effacer les traces de violence qui s'y sont incrustées.

Je vais en parler avec M à son retour, car j'aimerais tant vivre cette expérience et sortir de cette foutue cour intérieure que je maudis à présent.

M ne revient toujours pas et j'en ai marre. Pendant un instant, je retrouve la fille que j'étais, celle qui ne doit rien à personne et qui contrôle elle-même sa vie. Alors que Leïla repasse à la maison, je prends mon courage à deux mains et j'accepte son invitation.

Nous marchons dans les rues sablonneuses du village. J'ai peur de croiser M sur le chemin. Nous accélérons le pas jusqu'à la petite porte du hammam, que je n'aurais pu trouver seule. J'étais loin de m'imaginer que cette porte cachée s'ouvrirait sur une grande pièce ornée d'une mosaïque de mille et une couleurs, brillant sous un énorme puits de lumière éclairant la pièce. Il fait chaud et l'air est très humide. Nous abandonnons nos vêtements à l'entrée pour nous laisser imprégner par cette chaleur. Leïla me tend un long tissu opaque que j'enroule autour de mes hanches nues afin de préserver un peu mon intimité. Plusieurs vieilles femmes sont affalées sur les marches ; leurs seins pendent sur leur ventre bronzé, leurs visages et leurs mains sont ornés de tatouages bleutés, et la sueur perle sur leur corps. Un doux silence règne. Je sens ces vieilles femmes épier chacun de mes gestes et, sans gêne, regarder mon corps à moitié nu. Je suis l'étrangère blanche, et plusieurs d'entre elles n'ont sûrement jamais croisé une Occidentale. Blonde de surcroît. Leïla pouffe de rire et me prend par la main pour me traîner jusqu'à la pièce du fond, beaucoup plus sombre. Le plafond en céramique est bas, sûrement pour conserver la chaleur. C'est magnifique. Nous nous assoyons à même le sol et prenons des carafes remplies d'eau chaude que nous déversons sur nos têtes. Je remarque les chutes provenant du toit et je me laisse bercer par la musique de l'eau qui coule, subjuguée par la beauté de cet endroit apaisant.

Nous sommes restées dans le silence quelques heures à profiter de ces doux moments, enveloppées par la chaleur. Avec ses mains expertes, une vieille masseuse racle ma peau à l'aide d'un gant de crin, pour ensuite masser mon corps à l'huile d'olive.

Extase.

Écarlates, la peau luisante et les cheveux mouillés, Leïla et moi sortons du hammam vivifiées et totalement zen. Je n'ai pas conscience de l'heure et, en approchant de la maison, je sens mon cœur commencer à battre un peu plus fort. J'espère que mon M n'est pas encore revenu et je commence à regretter mon escapade. Leïla me laisse devant la maison, me faisant promettre de venir prendre le thé chez ses parents avant son retour dans la grande ville, et elle continue son chemin, légère et sereine.

J'ouvre le grillage de l'entrée. Je m'arrête sec en voyant mon M appuyé contre le figuier, bras croisés, guettant mon retour. Il est hors de lui. Il s'approche de moi en vitesse, vomissant des mots d'horreur, me demandant où j'étais et me criant que je n'ai pas le droit de quitter la résidence. Son regard me rappelle l'épisode où il a tout fracassé dans la maison et sa violence, palpable, me fige et me fait trembler.

Il m'empoigne par le biceps et me traîne dans le studio sous le regard de sa sœur cadette, qui se cache dans le portique. Mes pieds ne touchent pratiquement pas terre. Je trébuche en essayant de le suivre, tentant de placer des mots, de lui expliquer que j'étais en sécurité avec Leïla, mais il ne m'entend pas et il hurle par-dessus mes paroles, me traitant de traînée. Ses doigts enfoncés dans ma peau me font mal.

La porte du studio est ouverte et il me jette à l'intérieur comme un sac à ordures qu'on lance à la rue. Je me retrouve au sol, il me roue de coups. Je suis en boule par terre. Ses pieds me frappent directement dans les côtes, je crie de douleur et je le prie d'arrêter. Recroquevillée sur le tapis, je me tiens la tête et, les yeux fermés, j'essaie de me protéger des souliers qui me martyrisent. Subitement, il se penche à ma hauteur, me prend par les cheveux et me tire la tête brutalement vers l'arrière, approchant dangereusement son visage du mien. À genoux, le cou tendu vers le plafond, les larmes inondant mes joues, je lui répète d'arrêter en sanglotant. D'une voix rauque, je l'entends me murmurer :

— Si tu me fais ça encore une fois, je te casse en deux.

Il quitte le studio en verrouillant la porte à double tour. Je reste en position fœtale pendant un long moment, pleurant de peine, de peur et de douleur. C'est la première fois qu'il pose ses mains brutales sur moi. Je ne le sais pas encore, mais c'est le début d'une descente aux enfers. Je viens de réveiller le monstre en lui et je crains fort qu'il ne se rendorme jamais. Ma maman me manque terriblement cette nuit-là. J'aimerais avoir quatre ans et me blottir dans ses bras protecteurs pendant qu'elle me caresse les cheveux en me chantant une berceuse suédoise. J'aimerais avoir mon passeport ainsi que la force de marcher jusqu'au poste de taxis à l'entrée du village et de quémander un voyage vers l'aéroport. J'aimerais que Zied soit au village et qu'il calme la folie de son ami. J'aimerais disparaître en un claquement de doigts.

J'entends la porte se déverrouiller et je comprends que je me suis assoupie sur le tapis, car la lumière qui s'infiltre dans le studio est celle du petit matin. M se penche sur moi et me soulève en me plaquant contre sa poitrine. Je n'ai pas la force de lui dire de ne pas me toucher et, en même temps, j'ai tant besoin d'amour en ce moment que je passe mes mains autour de son cou pour mieux me tenir et les larmes recommencent à jaillir. M me dépose doucement sur le lit et se couche à mes côtés. Il est calme. Le monstre a disparu. Il me serre fort dans ses bras et se confond en excuses, se traitant lui-même de monstre, ne comprenant pas comment il a pu faire du mal à sa femme.

— Je me suis tellement inquiété, *y'all baby*… Tu aurais pu me laisser une note pour me dire où tu allais.

Il me demande pardon à répétition, son corps vibrant sous les sanglots.

— Je ne recommencerai plus jamais, promis. Je suis un monstre. Je t'en supplie, pardonne-moi.

Nous pleurons tous les deux et je m'endors dans ses bras, meurtrie, déconcertée, déroutée et sans force, mais avec l'assurance qu'il ne recommencera plus jamais.

Comment ai-je pu aimer cet homme ? Je crois que toutes les femmes battues ont le même syndrome. Nous espérons revivre les six premiers mois, le paradis et l'osmose de la chair. Nous sommes les adeptes d'un gourou de secte et, dans mon cas, le gourou est mon conjoint. C'est la meilleure définition que j'ai pu trouver pour décrire cet homme… Un gourou de secte qui enlise les adeptes un à un, jusqu'à ce qu'ils soient complètement dépendants de son affection. Jusqu'à ce qu'ils croient que seul le gourou a la capacité de les comprendre, de les aimer pour ce qu'ils sont et de les élever au-dessus de la race. Les gourous de secte éloignent peu à peu les adeptes de leur entourage et méprisent leur passé en renforçant la croyance qu'ils sont mieux que la populace. Nous, les adeptes, finissons par croire si fort en ce que le gourou nous dicte que ses paroles deviennent la seule vérité et nous oublions notre identité. J'ai oublié la mienne, mais heureusement elle m'a attendue.

Rares sont les monstres qui ne récidivent pas

À nouveau, je me retrouve à l'ambassade munie des documents que nous venons de recevoir par télécopieur, prouvant que M est bel et bien inscrit à l'université, dont les cours débutent en septembre. M préfère que je les dépose en main propre afin d'éviter que les informations se perdent et je suis bien d'accord avec lui. D'autant plus que cette escapade dans la capitale me donne l'occasion de sortir, d'avoir un semblant de liberté et surtout de voir Zied, qui nous logera dans la maison de ses parents. Zied est tout le contraire de M. Il est la douceur incarnée et je le sais mon seul et unique allié. Nous sommes en mai. Demain, j'aurai dix-neuf ans et je compte bien le souligner.

Rebelote. Attente. Discussion avec la femme caniche, rousse, frisée et bête derrière sa vitre. Dépôt de documents et questions sans réponses. Le dossier n'avance toujours pas, mais ces papiers importants pourraient faire la différence.

En sortant de l'ambassade, je remets mon passeport dans mon sac à main en espérant que M l'oublie, mais non. Mon Monstre est à l'affût et rien ne lui échappe. Dès que je m'assois dans la voiture, il réquisitionne mon passeport et le glisse de nouveau dans sa poche.

Ça grouille de gens ici : les filles sont belles et habillées à l'américaine. Les touristes se promènent avec un appareil photo autour du cou, les klaxons des voitures retentissent et la vie est bien active. Dire que c'était moi, la touriste, il y a à peine quelques mois. Désormais, je ne suis que l'ombre de moi-même et je ne me reconnais plus. J'ai encore énormément maigri et l'épisode récent de violence a balafré mon âme. Je n'arrive pas à retrouver mon entrain ni ma joie de vivre, je suis constamment sur le qui-vive afin de tout faire pour éviter les sautes d'humeur de mon M. Je marche au pied et j'ai mis une parure sur mon visage : celui de la femme parfaite.

Ahmed a fait le voyage avec nous, car lui aussi a bien besoin d'une escapade. Il est devenu le petit chien de poche de mon M. Je ne supporte plus cet homme qui parle à peine français et qui accapare mon mari ainsi que ma place à l'avant de la voiture. Assise sur la banquette arrière, je me perds dans mes pensées et je tente d'effacer l'image de mes parents et de mes amis, qui surgissent trop souvent dans ma tête.

Je ne reconnais pas le chemin vers la maison de Zied, M a pris une tout autre route et nous filons à nouveau vers le sud. Je le questionne et lui, énigmatique, me répond que je verrai d'ici une trentaine de minutes. Un sourire se forme sur mon visage. Après tout, c'est ma fête demain, alors il y a peut-être une surprise.

Effectivement, une trentaine de minutes plus tard, j'aperçois la Méditerranée au loin, la mer, la plage. Je suis sur le bout de la banquette, la tête pratiquement sortie de la fenêtre de la voiture, et je hume l'air salin. Je dévore du regard les centaines de palmiers décorant la route qui nous mène vers les hôtels luxueux de cette ville blanche et bleue. Je détache ma ceinture de sécurité et enlace mon M par-derrière en l'embrassant vigoureusement dans le cou. La voiture s'arrête devant un hôtel beaucoup moins somptueux que ceux que nous avons vus plus tôt, mais qu'importe ! Je débarque en vitesse, tournant sur moi-même, les bras levés au ciel. Quelle surprise ! Si seulement Ahmed n'était pas des nôtres. Quel étonnement aussi de voir trois autres de ses amis dans le lobby de l'hôtel, nous attendant en sirotant une bière locale ! Je ne laisse pas cette déception ruiner ma surprise, au contraire. *Plus on est de fous, plus on s'amuse*, me dis-je. En plus, ici, c'est un endroit touristique, donc à bas les fringues couvrant mon corps ! Ce soir, je porterai une robe d'été. J'ai cherché Zied du regard, mais il est retenu à la capitale, car il a pris du retard dans ses études. Un petit pincement me serre le cœur, j'aurais tant aimé avoir mon allié à mes côtés.

Les amis dormiront dans une énorme pièce de style dortoir alors que M et moi bénéficions d'une grande chambre juste pour nous, où siège en plein centre un lit à baldaquin protégé par une mousti-quaire blanche. La chambre, en céramique blanche et bleue comme la ville, sent le jasmin, une odeur que je ne supporte plus aujourd'hui. Le jasmin me ramène directement à cette saison où, fanée, j'essayais de pousser à nouveau dans le macadam.

Bien des fleurs poussent dans le macadam, mais pas moi... et plus jamais de jasmin.

L'hôtel est rustique, mais propre, et nous avons une salle de bain privée, ce qui me déleste d'un fardeau, car, mon intimité, j'y tiens. Je suis si heureuse d'être en escapade au bord de la mer. Je défais les bagages de M ainsi que ma petite valise, dans laquelle j'ai entassé deux ou trois trucs, dont ma robe d'été bleue, que je tenterai de porter ce soir. Bien sûr, M ne m'assiste pas dans cette tâche. Il est dans la chambre d'à côté et discute avec ses amis. Ils m'ont bien accueillie, mais, étant la seule fille du voyage, je me sens mal à l'aise d'aller les retrouver, alors je préfère les laisser discuter pendant que je profite de la chambre.

M me retrouve peu de temps après et m'étreint amoureusement. Je sais que de quitter la pression du village et de se retrouver un instant incognito parmi les voyageurs lui fait un bien immense. Je ferme les yeux et je savoure ce moment pendant lequel je retrouve le « nous » du passé.

— Retourne-toi ! lui dis-je.

J'enfile ma petite robe d'été bleue, celle aux bretelles spaghetti, qui me tombe tout juste en haut des genoux, ainsi que mes chaussures à talons hauts toutes mignonnes.

— Tadam ! Tu en penses quoi ?

J'attends sa réponse en souhaitant qu'il acquiesce. J'aimerais tant la porter.

— Tu vas mettre ça ? me demande-t-il, un sourire en coin.

— Oui... c'est ma robe de fête. Je peux ? S'il te plaît, s'il te plaît, s'il te plaît, imploré-je en le taquinant avec un ton enfantin tout en faisant la moue.

Il hoche la tête. Ai-je bien vu ? C'est oui ? Je lui saute au cou et je l'embrasse langoureusement.

Nous sortons nous promener sur la plage. Le soleil caresse ma peau et le vent est rafraîchissant à souhait. M me tient la main et je serre la sienne un peu trop fort, ne voulant pas le laisser partir. Je l'observe du coin de l'œil et mes épaules se détendent devant sa sérénité et son bien-être. C'est fou, je retrouve l'homme que je croyais avoir perdu. Il est magnifique dans son short kaki et sa chemise noire, toujours cintrée. Quand il sourit, ses petites rides autour de la bouche me font craquer. Je me colle à sa peau et l'arrête un instant afin de contempler la mer en entourant sa taille de mes deux bras. Je lève les yeux vers lui et le remercie pour ce cadeau et, surtout, pour cet instant en tête à tête.

Nous rejoignons la bande dans un restaurant. Le pauvre Ahmed m'y attend avec un collier de jasmin. Je n'ai pas le choix, je dois ouvrir mes bras à ce parasite qui fait tant d'efforts pour que je l'aime. À la table voisine, une dizaine de filles touristes font la fête et je sens le côté chasseur des amis de M prendre de plus en plus de place. Mon mec, lui, est fidèle à lui-même. Il charme par son silence et son air désabusé. Je vois bien le petit jeu qui s'installe entre lui et une de ces touristes, une grande brune au corps splendide, à la robe rouge et au décolleté plongeant. Elle se fout complètement que je sois là et ne lésine pas sur les regards qu'elle lance à mon M. Il se lève pour se rendre aux toilettes et passe volontairement tout près de la chaise de cette dernière, frôlant le dossier de sa main, tout près de la nuque de la demoiselle. Un tambour fait surface dans ma poitrine et je me braque devant ce jeu humiliant et insultant. Comment ose-t-il me manquer de respect à ce point ?

Quand il revient des toilettes, elle l'interpelle, bien évidemment, et il se baisse à sa hauteur pour mieux entendre ses paroles. Je rage. Après un moment, j'ose me lever et je vais le rejoindre en prenant bien soin de l'enlacer. Il me jette un regard si noir que je crains la suite. Merde. J'aurais dû rester assise, mais ce n'est pas humain.

Je capte les dernières bribes de leur conversation et, bien sûr, elle les invite, lui et ses amis, à se joindre à des festivités qui auront lieu sur la plage un peu plus tard en soirée. De retour à la table, M brûle de colère et se contient difficilement. Je le sermonne tout bas sur son geste et sur l'offense que son jeu de séduction me fait subir, mais il est intouchable. Il m'empoigne la main fermement et presse mes doigts en tournant mon poignet vers la gauche. Je retiens un cri.

Dans le creux de mon oreille, j'entends sa voix rauque qui me traite de jalouse et de folle, qui m'accuse d'être envahissante. Il me lâche la main, que je m'empresse de frotter afin d'enlever la douleur. Il m'ignore pendant le reste de la soirée. Ses amis ont remarqué notre altercation et imitent leur gourou : ils m'ignorent eux aussi. L'alcool coule à flots et les gens s'entremêlent. Nous sommes envahis par les femmes d'à côté et M prend un malin plaisir à reprendre la drague, me faisant cet affront sans retenue.

Ce *pattern*, il l'a déjà entamé à Montréal et il le répétera dans l'avenir.

Nous quittons le restaurant et, au comble de l'humiliation, je n'ai pas d'autre choix que de suivre M et ses amis, ne sachant où aller et n'ayant nullement envie de rentrer à l'hôtel toute seule. Heureusement, nous ne sommes pas allés à la fête sur la plage, car je n'aurais pas supporté que mon M tente de séduire à nouveau cette grande touriste. Nous marchons dans les rues de ce coin de paradis. Moi, je trotte derrière la bande en retenant mes sanglots et en essayant de porter un masque joyeux. À l'hôtel, M daigne se coucher dans le même lit que moi, mais me tourne le dos. Il s'affaisse, visiblement soûl. Alors qu'il ne ronfle jamais, cette nuit-là, j'ai un tracteur à mes côtés. Il est passé minuit. *Bonne fête, Sophie !* me dis-je.

Je dors mal, repensant au déroulement de la soirée, ne comprenant plus cet homme qui a tellement changé depuis notre première rencontre. Je souhaite tant qu'il redevienne comme avant, mais cet espoir s'affaiblit au même rythme que mon estime de moi qui s'amincit et que mon dos qui se courbe tranquillement. Le lendemain matin, il sort de la chambre pour aller prendre un café avec les autres loups. Je fais ma petite valise et, ne le voyant pas revenir, je trouve une excuse pour aller voir ce qu'il fait. Je passe ma tête dans l'embrasure de la porte du dortoir et, gentiment, j'interpelle M en lui demandant une clope.

— Que veux-tu ? Débarrasse ! Fais ta valise et va-t'en ! Rentre à Montréal, je ne veux plus voir ta face ! hurle-t-il devant tous ses amis, qui baissent la tête un à un.

Je suis mortifiée. Je rebrousse chemin jusqu'à ma chambre. Il me suit en me lançant des injures et en criant si fort que tous les occupants de l'hôtel ont dû entendre ses insultes. Gifle après gifle, ses mots transpercent mon âme. Je m'assois sur le lit et, pour me protéger contre ses paroles, je ramène mes jambes près de mon corps et je baisse la tête, alors qu'il me lance des cigarettes au visage.

— VA-T'EN !!!!! tempête-t-il de plus belle avant de quitter la chambre.

Je sors. Ma valise et moi sommes devant l'hôtel. Je suis effarée, sans argent et sans passeport. Où aller ? Comment sortir d'ici ? J'évalue rapidement que je me trouve à environ une heure de l'aéroport, mais je n'ai aucun moyen de m'y rendre. Un tourbillon prend d'assaut mes pensées. J'essaie d'imaginer une issue quelconque. Les monstres ont cette facilité à nous traiter comme un déchet et à nous chasser du revers de la main, surtout lorsque nous sommes sans débouchés. Ils savent très bien qu'ils ont le pouvoir de nous détruire, sachant que la fuite est impossible.

Je m'assois donc sur les marches de l'hôtel et je prie pour qu'une solution s'offre à moi. Je tremble de peine, de souffrance, d'humiliation. Peu de temps après, M et sa bande passent devant moi comme si j'étais inexistante. Ils montent dans la voiture et M démarre le moteur. Je suis certaine qu'il me plantera là... Effectivement, je les regarde partir. Ma tête tambourine, je suis totalement perdue et seule au monde dans ce *nowhere* inconnu. J'attends plusieurs minutes, toujours devant l'hôtel, priant pour que Zied arrive, tel un cavalier sur son cheval blanc, afin de me sauver de ce monde cruel. M a dû faire le tour du pâté de maisons, car je vois la voiture poindre de l'autre sens. Il baisse la vitre du véhicule.

— Monte.

Et je monte. Sans un mot. La tête basse et l'âme en miettes.

Il conduit jusqu'à la plage. La place est bondée de vacanciers ainsi que de gens du coin se dorant au soleil. La mer est agitée, mais pas assez pour restreindre la baignade. M et sa bande prennent place à une table directement sur le sable, tout près de la mer et à l'abri du soleil, sous un parasol multicolore. Ils commandent à manger. Oubliée de tous, je dois me dénicher une chaise de plastique un peu à l'écart, loin du parasol. J'ai faim et je regarde M et sa bande bouffer leurs grillades, n'osant demander à mon mari de m'offrir une bouchée de son festin. Le soleil plombe. J'ai chaud. Je suis en plein soleil. L'embarras et la confusion gouvernent mon être. La mer m'appelle et je n'ai qu'une seule envie : aller m'y noyer et mettre fin à ce périple malheureux.

Je me lève et, sans un mot, je vais me changer dans les toilettes du restaurant, enfilant un short et un t-shirt, et je marche jusqu'à la mer, affrontant les vagues qui se cassent sur mon corps. Je nage aussi loin que je peux et, finalement, je me laisse bercer par les vagues. L'effroi des profondeurs, la crainte des requins, la frayeur du courant ; ce midi-là, tout a disparu. Je vois le rivage s'éloigner peu à peu et je nage encore, me laissant emporter par cette vaste mer salée. Les parasols de la plage sont désormais à peine visibles et l'eau est de plus en plus noire.

Mon short et mon t-shirt se sont alourdis, gon-flés par l'eau salée, et je commence à manquer de force. Ne pouvant me laisser flotter, je coule vers les abîmes. J'ai peur à un moment de vraiment me noyer alors, avant de manquer d'endurance, je regagne la plage.

Le courant m'a fait dériver et c'est de peine et de misère que je sens finalement mes pieds toucher le fond de l'océan. À bout de souffle, je me couche un moment sur le sable, les yeux clos, laissant le soleil réchauffer ma peau. Lorsque je me relève, je réalise que le courant m'a tant emportée que je ne trouve plus la table de la bande. Finalement, j'aper-çois mon M, debout, près du rivage, scrutant hâti-vement la mer. Il semble troublé. Je le rejoins et je reprends ma place sur ma chaise de plastique.

Je pense que M a eu réellement peur de me perdre, car son humeur s'adoucit. Il pose les yeux sur moi. C'est à moi de briser le lourd silence qui pèse sur nous. Je dois donc ravaler mon honneur qui, de toute manière, n'existe presque plus et je lui demande de me pardonner.

LE MONDE MYSTÉRIEUX
DE MONSIEUR M

Les emportements inexpliqués de M sont de plus en plus fréquents. Comme si une porte s'était entrouverte, lui laissant la liberté et le pouvoir de vivre sa colère comme bon lui semble, alors que je m'enfonce dans cette spirale infernale de culpabilisation et de dévalorisation. Il manipule mon âme et joue avec ma tête comme un marionnettiste. Et, moi, je suis le pantin parfait : la proie captive dans une maison de poupée.

Il me dénigre en permanence, parfois juste par un regard dégoûté ou en me repoussant en plein acte sexuel, me tassant physiquement loin de lui. Je me sens moche, nulle. Il me reproche de ne pas savoir comment lui faire l'amour et je vis constamment dans la peur de le mécontenter, me forgeant une personnalité moulée à ce que je crois être son désir. Le hic est que ses envies changent au rythme de ses humeurs, je n'ai donc jamais la bonne attitude ou la bonne réponse. Lorsqu'il me parle, je lui demande souvent de répéter, car sa voix est si basse, presque un murmure… je me mets à penser que je souffre d'un problème de surdité.

Un soir, nous sommes réunis dans le studio avec quelques-uns de ses adeptes, l'écoutant débattre sur la politique américaine. Je suis silencieuse, ne voulant pas contredire ses propos racistes qui, selon moi, ne font aucun sens. Il casse, de son verbe aiguisé, la moindre personne qui ose remettre son discours en question. Il a une facilité magistrale à nous embourber et nous finissons tous par lui donner raison.

Mon arabe parlé n'est toujours pas très bon, mais j'arrive désormais à suivre les conversations, d'autant plus que, de temps en temps, un mot français est placé dans une phrase, ce qui m'aide à comprendre le sens de la discussion.

On frappe timidement à la porte du studio, laquelle j'entrouvre pour découvrir un papa M qui nous apporte fièrement des pizzas individuelles qu'il est allé chercher spécialement pour nous. Comble de la satisfaction pour mon M, il y a aussi de la bière… Papa M dépose les nombreuses bouteilles de bière près de la porte. J'aurais aimé qu'il s'assoie avec nous afin d'en apprendre un peu plus sur lui, mais papa M décline mon offre. Je ne le vois que très rarement, car il part tôt le matin pour travailler et revient souvent très tard le soir. Je le soupçonne d'avoir une autre femme, mais je n'oserais jamais aborder le sujet avec mon M. Il me fracasserait la gueule.

Une pizza achetée à la boulangerie du coin est un grand luxe, je le sais bien, et je m'empresse de remercier papa M afin de lui démontrer ma reconnaissance pour ce petit délice avant qu'il retourne à la maison familiale, nous laissant profiter de ce cadeau. Je déballe ma pizza enroulée dans du papier aluminium comme si c'était un cadeau de Noël et je prends une grosse bouchée, que je déguste lentement.

— Ce n'est pas comme ça qu'on mange une pizza! aboie M à mon égard.

Je suis décontenancée par cette déclaration subite.

— Pardon?

Et il répète encore plus fort.

— CE N'EST PAS COMME ÇA QU'ON MANGE UNE PIZZA!

Mais c'est ridicule, pensé-je. Y a-t-il vraiment une seule façon de manger une pizza dans le monde mystérieux de Monsieur M?

— Comment veux-tu que je la mange, ma pointe?

Phrase de trop.

— Tu me fais de l'attitude? Va-t'en, sors d'ici.

Je riposte en balbutiant de façon incompréhensible, mais, trop tard, il prend ma pointe ainsi que la sienne et les jette par la fenêtre. Devant tous ses amis, il me pousse hors du studio et je vois ma valise voler dans le jardin. Il balance mes vêtements, mes chaussures, mes livres et tout ce que je possède sur le parvis et me hurle qu'il ne veut plus jamais me voir, que je suis celle qui gâche tout, que je suis un boulet dans son existence et que, par ma faute, il n'a plus de vie.

La honte suprême. Maman M est à la table du jardin avec sa meilleure amie, la mère de Leïla, ainsi que la sœur de M, toutes trois aux premières loges pour assister à ce douloureux spectacle. Elles ne disent rien, baissant la tête et me tournant le dos.

Il doit être environ 20 heures. La nuit entame son parcours et, moi, humiliée et dans le néant, je ramasse mes effets personnels, les entassant pêle-mêle dans mon bagage. Je vois M sortir du studio, comme un tigre en délire, m'arrachant ma valise des mains et la jetant par-dessus la clôture de béton, pour ensuite m'ouvrir le grillage et me pousser jusqu'à la rue. Il claque la porte et je me retrouve seule, sur la chaussée sombre, une grosse valise échouée à mes pieds, ébahie, sous le choc, perdue et dévastée.

Je soulève ma lourde valise et je marche sur le chemin de terre vers le sud sans me retourner. Je pense que, une fois la crise passée, M ressortira pour m'ordonner de rentrer, ou, du moins, que ses amis et ses parents vont lui faire entendre raison, mais non. Je marche toujours, faisant avancer ma valise en tirant de toutes mes forces sur la poignée, en maudissant la vie. Je déambule jusqu'au bout de la route déserte, et il n'y a toujours personne à mes trousses. Mon cerveau ne fonctionne plus, un bourdonnement prend le contrôle de mes pensées. J'avance encore un peu avant de m'arrêter pour reprendre mes esprits et essayer de comprendre ce qui vient de se passer lorsqu'une petite main prend la mienne. Je ne suis plus seule. La sœur cadette de M, toute menue et fragile, est venue me retrouver.

— Viens. On va aller chez Leïla.

Je ne peux prononcer un son, ma gorge est nouée, sèche, et je pense bien que, si j'ouvre la bouche, un cri de détresse en sortira.

Par chance, Leïla n'habite pas loin et, lorsque je l'aperçois, marchant à vive allure vers nous, je comprends qu'elle a été alertée par sa mère. Elles savent toutes que M est fou, je le vois dans leur regard. Les yeux de Leïla, accueillants et remplis de sympathie, ouvrent un canal et je pleure ma vie entière. Mes larmes se déversent comme des chutes d'eau sans fin. J'ai honte. J'ai si mal. Je me sens comme une moins que rien. Je veux m'enterrer à jamais.

La maison de Leïla est nichée au deuxième étage d'un petit immeuble. Nous nous y prenons à trois pour monter ma lourde valise. À la maison se trouvent son oncle et sa sœur aînée. En passant la porte, je sens un baume d'amour m'envelopper. Nous nous assoyons tous ensemble autour de la table de la salle à manger et ils me parlent de M ainsi que de ses colères passagères, qui existent depuis toujours. Ils me disent que, étant désormais sa femme, je dois apprendre à surmonter ces obstacles et, surtout, tout faire pour le calmer lorsqu'il s'emporte de cette façon.

La sœur de M me caresse doucement la main. Je peux sentir son tremblement se marier au mien. Elle a si peur de son frère qu'elle n'ose respirer lorsqu'il est près d'elle. Je crois bien que, pour la première fois, elle trouve une complice en ma présence et, en silence, nous nous comprenons. Ce petit corps de douze ans est chétif mais d'une rare beauté. Elle possède un calme mystérieux, des yeux à la fois brillants et tristes, ainsi qu'une gêne incommensurable qui lui donne une maturité beaucoup trop précoce pour son âge. Je ne l'ai jamais entendue rire ni parler à voix haute. Lorsqu'il lui arrive de prendre la parole, c'est dans un chuchotement que le phénomène se produit.

Je me surprends à penser que, malgré tout, maman M est soulagée de mon existence, car désormais la colère de M tombe davantage sur moi et de moins en moins sur elle. Leïla parle au téléphone avec sa mère et, lorsqu'elle raccroche le combiné dans un soupir, elle me dit gentiment que M m'attend à la maison et que son oncle doit m'y reconduire sur-le-champ. Je ne sais plus. Je ne veux pas y retourner, je suis totalement vidée, fâchée, mais surtout profondément blessée. Je dois abdiquer, n'ayant aucune autre possibilité, car Leïla, malgré ma demande, ne peut me garder chez elle pour la nuit et courir le risque de voir M débarquer en furie.

— Il vaut mieux que tu fasses ce qu'il demande, Sophie.

Je suis prisonnière de ce pays, sans passeport ni argent, et je n'ai plus aucune communication avec mes parents, ce qui me fait atrocement souffrir. Je sais qu'ils ont tenté à maintes reprises de me téléphoner, mais les appels ne se rendent jamais jusqu'à moi. J'ai reçu quelques lettres que M lisait avant de me les lancer au visage, maudissant l'existence de mes parents qui, selon lui, ne sont pas des êtres dignes de Dieu. La seule lettre qu'il n'a pas lue est celle que ma mère m'a écrite en suédois. J'ai dû la lui traduire, mais il s'en est rapidement lassé et m'a laissée la terminer seule.

Dans la voiture de l'oncle, j'accepte mon sort et je baisse les bras une fois de plus. Mon bourreau m'attend. Dans quel état ? Ça, je l'ignore…

MOURIR DANS LE PAYS DU SABLE

La fuite n'est pas une option. Pourtant, lorsqu'on fait face à un manipulateur, la règle est de prendre nos jambes à notre cou, de fuir aussi vite et aussi loin qu'on le peut sans regarder derrière pour ne plus jamais revenir. Ma fuite se passe dans ma tête, car je n'ai aucun autre moyen de m'évader.

Mi-juillet. L'été passe lentement et l'espoir d'obtenir le visa de M s'éteint de plus en plus. Nous n'avons toujours pas de nouvelles de l'ambassade et je me demande si un jour je retournerai dans mon pays. M désire revenir à Montréal plus que tout au monde, mais pour des raisons bien particulières. Il répète sans cesse qu'il y retournera coûte que coûte pour cracher sur mon pays et qu'il reviendra ici par la suite. Il affirme que personne ne décidera de son sort et qu'il veut simplement revenir à Montréal pour décider par lui-même de repartir. Il a l'ego tellement démesuré, mon M.

De mon côté, je m'accroche au rêve que tout redeviendra comme avant lorsque nous serons enfin chez moi. Je pourrai m'habiller comme je le souhaite, revoir mes amies et ma famille, sortir à nouveau, être totalement libre et retrouver mon M d'antan, sans avoir à me conformer aux us et coutumes de son pays. Je me convaincs que son attitude est due principalement à la pression sociale.

Au cours de l'été, j'assiste aux funérailles du grand-père de M. C'est fascinant de voir toutes les femmes du village accourir à la maison, tout de noir vêtues, poussant de longs cris aigus, se lamentant et répandant des larmes comme si des fontaines se déversaient sur leurs joues. Elles arrivent par dizaines, s'époumonant, se jetant à même le sol, donnant des coups à terre, priant Allah. Je suis hypnotisée par ce défilé et je ne comprends pas leur impressionnante démonstration de détresse et de souffrance. M m'explique que la plupart de ces femmes ne connaissent pas son grand-père, mais qu'elles profitent de cette occasion afin de sortir les émotions qu'elles gardent habituellement pour elles. Mon M plonge ses yeux noirs dans les miens et m'enlace. Il pose sa tête sur mon épaule et laisse soudainement son trouble faire surface. Je suis bouleversée et émue, surprise par ces émotions qu'il ne me montrait plus.

— Je suis là, mon amour, laisse-toi aller...

Je le réconforte avec les mots les plus doux et je chéris ce moment de tendresse qui me fait l'aimer à nouveau. Il est si petit dans mes bras et de le voir dans cet état fait couler mes larmes aussi. Je l'aime tant. Je l'aime pour ces instants de fragilité où son armure s'effrite un peu. Je l'aime pour ces moments où il est tendre et si attachant. Je cale mon nez dans son cou et je hume son odeur qui allume en moi la flamme de la passion. Il est fragile et je me sens femme, sa femme. Si seulement il laissait place à ce côté de lui plus souvent…

Les funérailles durent trois jours. Il est fortement déconseillé aux femmes d'assister à l'enterrement du défunt et, durant cette période, il est interdit aux femmes et aux hommes de se trouver dans la même pièce. Je dois donc passer ces trois longues journées avec maman M. Les lamentations des femmes du village se poursuivent et résonnent dans la maison. Je m'occupe en préparant les goûters, en faisant le ménage, en apportant le thé et en accueillant les invités qui vont et viennent, profitant un peu de la situation, car la nourriture et les boissons sont offertes. Le soir, lorsqu'il ne reste que la famille immédiate, je rejoins mon M du côté des hommes. Quoiqu'un peu absurde, cette séparation est bénéfique pour notre couple, car de le retrouver tard le soir alimente le désir et, de plus, c'est en tête à tête que nous finissons nos soirées durant ces trois longs jours d'affliction. Ce soir-là, nous faisons l'amour, même si c'est interdit en cette période de deuil, et c'est tout en douceur qu'il se donne à moi.

Soubresaut. Mes yeux s'entrouvrent et je sens qu'il fait encore nuit. J'ai si froid, je tremblote. Suis-je encore sur ce plancher froid et sale ? Je crains que oui. Mon estomac s'est vidé des médicaments ingurgités. Je suis en vie. Je ne le veux pas. J'ai mal à ma peau.

À MES CÔTÉS

Papa… Ne veux-tu pas sortir de la salle ? J'ai de la difficulté à raconter mon histoire devant toi. Je vois bien ta mâchoire se tordre et tes poings se serrer. Papa, bouche tes oreilles, je t'en prie.

Me Savoie semble avoir lu dans mes pensées et interrompt mon récit, interrogeant mon père sur son désir de rester auprès de moi pour la suite de l'entrevue. Dans un rictus contracté, papa est intransigeant. Du début à la fin, il sera à mes côtés pour tenter de compenser son absence des dernières années.

Revoir la neige

Je me pince. Les premiers jours de septembre sont frais. Le figuier ne porte plus de fruits et je sais désormais que je reverrai la neige et ses bourrasques blanches, que je sentirai le froid de ma ville embrasser mon visage. Ce moment que j'attends avec une impatience lancinante et une ardeur fiévreuse depuis si longtemps est sur le point d'arriver. *Mon pays, fais-toi beau, mes pieds fouleront ton sol à nouveau et mes bras nus s'ouvriront à toi.* L'ambassade a téléphoné, et nous nous y rendons pour récupérer le papier annonçant ma libération. Après des mois d'attente, M a enfin obtenu un visa de soixante jours afin de lui permettre d'assister à l'audience qui a encore été repoussée. Nous retournons ensuite au village pour un dernier adieu.

À regret, par la vitre arrière du véhicule, je regarde la capitale disparaître petit à petit alors que nous roulons à vive allure vers les dunes et ma cellule de béton. J'aurais aimé prendre l'avion sur-le-champ et quitter ce pays qui me détruit à petit feu, mais je sais que nous partirons incessamment une fois les billets d'avion achetés. Une pression énorme a quitté mes épaules et je ne peux effacer le sourire qui illumine mon visage. M demeure impassible, mais je sens tout de même un bien-être l'envahir. Nous roulons depuis deux heures déjà lorsqu'il pose doucement sa main sur mes genoux et la glisse vers l'intérieur de ma cuisse. Il me caresse ainsi quelques instants et je me détends, penchant la tête vers l'arrière, alors que la voiture continue de grimper dans la montagne. Tout à coup, M fait crisser les pneus et évite d'entrer en collision avec un tas de voitures bloquant la route en plein milieu du chemin. Nous ne pouvions voir les véhicules, qui étaient arrêtés de l'autre côté, sur la pente descendante.

— Tourne ta tête et ferme tes yeux.

Je ne réagis pas. Pourtant, je devrais. À ma droite, une camionnette blanche gît sur le côté et a visiblement fait plusieurs tonneaux avant de s'écraser contre un arbre. Les vitres ont éclaté et la carrosserie est complètement tordue. Une charrette est aussi renversée et un âne se meurt sur le sol, le ventre ouvert et la tête fracassée. Sur la butte, trois petits corps d'enfants ensanglantés sont couchés côte à côte. Un cri s'échappe de ma gorge lorsque je vois ces petits êtres inertes, sans vie.

Dans la camionnette, un homme est pris entre le volant et le siège du conducteur. Je n'oublierai jamais ses cris de douleur ni son visage déchiqueté par le pare-brise, qui a explosé lors de l'impact.

M se précipite hors de notre voiture et court vers le camion afin de prêter secours à l'homme prisonnier ainsi qu'aux autres conducteurs déjà sur les lieux, essayant en vain de sortir le pauvre homme de sa situation.

Je suis figée et sidérée par ce qui se déroule devant mes yeux. Je regarde au loin afin de voir si l'ambulance arrive, mais je sais bien qu'entre la capitale et le prochain gros village il n'y a pas d'hôpital ni de lignes téléphoniques. L'homme aura le temps de souffrir et peut-être même de mourir avant que les secours arrivent.

Une femme pose un drap blanc sur le corps des enfants.

Nous restons sur les lieux de la tragédie jusqu'à ce que les ambulanciers arrivent, plus d'une heure plus tard. L'homme derrière le volant n'est pas décédé sous mes yeux, mais je ne saurai jamais ce que le sort lui a réservé.

M m'entoure de ses bras et je me cache le visage dans sa poitrine, essayant d'effacer ces images qui me hantent toujours aujourd'hui. La route du retour est longue et émotive. Je prie pour cet homme, pour les enfants qui ont volé vers la lumière, pour l'âne aussi, auquel on a donné des coups de marteau sur la tête afin d'abréger ses souffrances.

Je prie pour mes sœurs et pour mes parents, que j'espère revoir bientôt. Je prie pour moi, pour que mon corps cicatrise vite et que mon cauchemar s'arrête.

11 SEPTEMBRE 2001

L'été tire réellement à sa fin et la chaleur n'est plus aussi accablante. Un petit vent du nord me permet de mieux respirer, d'autant plus que les vêtements qui couvrent mon corps semblent un peu moins lourds, car je n'étouffe plus de la même façon. Dans le quotidien de la vie du Sahara, je me sens un peu plus légère, sachant que mon départ vers Montréal est imminent. Je compte les jours, les heures et les secondes avant le 22 septembre. Plus que onze journées. Je prends tout de même soin de profiter de chaque instant qu'il me reste ici et j'essaie d'apprécier maman M malgré son attitude toujours aussi rude à mon égard.

Nous sommes toutes les deux à la cuisine, préparant le souper que mon M a demandé : le fameux couscous à l'agneau, spécialité de sa maman et la mienne désormais. La cuisine est équipée d'un four à bois et le minuscule réfrigérateur fait toujours autant de bruit. Attablée au centre de la pièce, je coupe minutieusement les légumes, prenant soin de ne pas les trancher trop finement afin de ne pas recevoir les reproches de M, qui a déjà jeté au chien un couscous entier parce que mes légumes étaient trop minces. Chien a dû se régaler. Désormais, l'élève dépasse le maître et mon couscous décrocherait sûrement une étoile Michelin. Maman M prépare la sauce rouge en me jetant parfois des regards accusateurs, mais toujours sans m'adresser la parole. Elle est silencieuse. Une énergie colérique émane de cette femme au corps carré et à la chevelure toujours tirée en chignon serré.

Je m'applique donc à couper les légumes lorsque papa M entre en trombe dans la cuisine.

— Un avion a foncé dans un immeuble à New York ! *Yalla yalla* (vite vite), venez voir !

— De quoi tu parles ? Nous sommes occupées, tu le vois bien. Allez, sors de ma cuisine.

Je ne comprends pas pourquoi papa M nous dérange pour une simple scène de film, sûrement américain, et je ne saisis pas non plus son empressement ni son insistance.

Je dépose finalement mon couteau et je le suis dans le salon où M saute sur place, debout devant la télévision. Et je vois. Je vois l'image en boucle d'un avion fonçant droit sur la tour du World Trade Center. Mon New York, que j'aime tant, attaqué par un Boeing 767. Je me concentre afin de comprendre ce que le reporter de la chaîne Al Jazeera raconte, mais il parle si vite en arabe que je n'arrive pas à tout saisir. Nous sommes hypnotisés par le téléviseur, attentifs aux moindres détails et, boum, deuxième attaque. Le second avion s'enfonce dans l'autre tour.

Mon M, incrédule, se prend la tête, triomphant, tapant dans ses mains, levant les bras vers le ciel en signe de gloire et tournant sur lui-même en état de grâce. Déconcertée, la bouche entrouverte, je n'arrive pas à concevoir l'horreur qui a lieu à l'instant même, tout près de mon pays. Les informations coulent au compte-gouttes et, peu à peu, je saisis ce que M a déjà compris : des terroristes du Moyen-Orient attaquent la plus grande puissance du monde et j'assiste à cette abomination en direct d'un pays ennemi.

J'entends les cris des villageois dans les rues. On frappe sur des tambours dans un rythme saccadé. M et papa M se tapent dans la main pendant que maman M rit tout bas. Rapidement, des voisins commencent à affluer dans la maison.

— Avez-vous vu ?! Nous les avons eus ! Nous sommes les plus forts, il était temps que tout le monde le sache. À bas l'Amérique !

Au milieu de ces cris de joie, alors que le Moyen-Orient s'empare de l'Amérique, un étrange étourdissement mêlé à une détresse s'empare de mon corps. Mon cœur tambourine au son de la musique provenant de l'extérieur. J'ai le feu à l'âme et je dois m'efforcer de contrôler mes émotions, totalement opposées à la mascarade qui m'entoure.

M se tourne vers moi et, devant tous, me dit :

— Et toi, l'Américaine… comment te sens-tu maintenant qu'on vous a défoncés ?

Je ne peux dire la vérité ni exprimer toute la peine que j'ai devant la scène d'horreur qui se déroule près des miens. Les tours se sont effondrées et je ne peux comprendre l'enchantement des villageois alors que des milliers de personnes viennent de trouver la mort. Mon esprit n'arrive pas à accepter l'hilarité et la satisfaction qui m'entourent.

Je ne réponds pas. De toute façon, M n'attend pas de réponse de ma part. Il sort au café pour se joindre à la fête et je prie pour tous ces gens dans le deuil. Jusqu'aux petites heures du matin, je reste dans le salon à regarder ces images sur la chaîne française. J'assimile l'ampleur de cette tragédie, outrée par la violence et apeurée à l'idée que les terroristes attaquent Montréal. Je voudrais appeler mes parents afin de m'assurer qu'aucun de mes proches ne se trouvait à New York lors de l'attentat. Confinée ici, je voudrais discuter avec un Occidental, sentir la présence d'un pair. Je m'endors sur le canapé en espérant que cet événement ne compliquera pas notre retour à Montréal.

PARTIR

22 septembre 2001. Mon âme vole aussi haut que l'avion dans lequel je me trouve, et mon cœur bat vite alors que l'appareil transperce le ciel vers ma délivrance. Je me pince à plusieurs reprises. Je ne peux trouver le sommeil. Le vol est long et l'escale à l'aéroport de Paris-Charles-de-Gaulle me grise énormément tant il y a de gens. Depuis des mois, je suis esseulée au village de sable, il doit donc être normal que je sois déstabilisée par la vie moderne et rapide d'un aéroport surchargé.

Par le hublot, je commence à entrevoir les lumières de ma ville, je reconnais les rues, les ponts, le fleuve Saint-Laurent. Ce moment, je l'espère depuis tant de mois que je sens ma force se réanimer petit à petit. Pourtant, une angoisse m'habite et l'anxiété fait ruisseler de la sueur sur mon front. J'avale difficilement et je crains de devoir réapprendre à m'adapter socialement. M est aussi excité que moi et me tient la main fermement. Nous atterrirons bientôt et les pulsations dans ma poitrine poursuivent leur accélération.

Neuf longs mois d'attente pour que M marche à nouveau sur mon territoire. Les roues se posent enfin sur le sol canadien et les applaudissements fusent, félicitant ainsi le pilote de nous avoir menés à bon port. M comme Montréal, M comme Magnifique, M comme Maison : nous y sommes finalement. Je retiens ma joie et les battements de mes mains, car M trouve cela insupportable, évidemment. Entendre ma langue à nouveau, ressentir la légèreté des gens, voir la blancheur de la peau, les vêtements colorés, les jeans et les espadrilles des voyageurs, retrouver mon pays : tout cela me rend fébrile. L'odeur de l'automne, la musique de chez moi, mon territoire que je connais par cœur, c'est si bon.

Je présente mon passeport à la douanière, une belle blonde qui me questionne rapidement. Oui, par amour. Je me suis absentée de mon pays par amour. Elle esquisse un sourire convenu. *Mon histoire est si romancée et belle, vue de l'extérieur*, pensé-je. Par amour pour l'autre et non par amour-propre. Celui-là, je l'ai laissé prisonnier au village.

Nous passons les douanes sans difficulté jusqu'à ce qu'un agent de la sécurité frontalière m'arrête, tout juste avant de franchir les portes, me faisant signe de tourner vers la droite. M me suit, me questionnant nerveusement, croyant qu'il est peut-être en danger. *Tout ne revient pas à toi, M*, me dis-je.

Je me fais fouiller comme la dernière fois. M n'apprécie pas que mes sous-vêtements soient étalés à la vue de tous. Je le vois trépigner, contenant mal son mécontentement, mais sachant très bien qu'il doit se contrôler.

Nous passons finalement les portes et c'est Chafik qui nous attend de l'autre côté, un air béat étampé sur son visage et les bras grands ouverts pour accueillir son ami, lequel lui fait une longue accolade. Il me passe le bonjour tout en me serrant de la même façon dans ses bras. Il est si gentil, ce Chafik… mais un peu «trop bon, trop con», je l'avais oublié. Je suis toujours un peu en retrait derrière M pendant qu'ils conversent quelques instants, prononçant les mots d'usage concernant le vol.

Mes yeux rasent le sol, c'est trop pour moi de me retrouver parmi tous ces inconnus, d'entendre tous ces bruits et, surtout, d'avoir peur de croiser le regard d'un homme, ce qui pourrait faire surgir la colère de mon M. Je ne souhaite pour rien au monde gâcher mon retour, alors je me tiens bien sage, essayant de ne pas trop sourire, de ne pas trop bouger. Finalement, nous quittons l'aéroport dans la voiture louée par Chafik pour l'occasion. Il a sûrement voulu impressionner son ami en louant une belle Jeep Cherokee, et ainsi souligner notre retour au pays. M adore les voitures.

Sur le vol, le hasard a fait en sorte qu'un jeune Arabe occupe le siège à côté de M et, fébrilement, il nous a raconté qu'il avait obtenu son visa comme étudiant étranger. De plus, c'était la toute première fois qu'il s'assoyait dans un avion. Il arrivait seul à Montréal, il n'avait pas d'amis dans cette ville et ne savait où aller.

Durant le vol, ils ont passé de longues heures à établir un plan de match et M, bien sûr, l'a pris sous son aile. Ce jeune a un peu gâché mon voyage de retour, moi qui m'imaginais une rentrée romantique en amoureux, moi qui espérais que M retrouverait son énergie d'avant. Son énergie, il l'a donnée à ce jeune et m'a oubliée pendant pratiquement tout le vol.

Ainsi, le jeune est avec nous dans la voiture. Je suis assise sur la banquette arrière et je m'enivre de ma ville. Soupirant de soulagement, reconnaissant les immeubles et m'abreuvant de béton gris, je revois les voitures d'ici et je me surprends à aimer même les bouchons de circulation.

Arrivés à l'appartement de Chafik, situé dans le quartier arabe de Montréal, nous grimpons les trois étages nous menant à son logement. Les vieux corridors sombres et étroits, typiques de ce coin de la ville, dégagent une forte odeur de moisissure. Les plafonds sont bas et la peinture s'écaille sur les murs défraîchis. D'emblée, je me sens suffoquer dans ce passage exigu. Il doit y avoir une trentaine de logements dans cet immeuble et celui de Chafik est le tout dernier, complètement au fond du corridor. Il nous ouvre la porte de son petit appartement d'une pièce et demie et prend soin de nous faire faire le tour du proprio, malgré la petitesse de l'endroit. À ma gauche se trouve la rustique salle de bain et, tout juste après celle-ci, il y a une minuscule cuisine ouverte sur le salon contenant un futon, qui sera probablement mon lit ce soir. Tout près trône une gigantesque télé à écran plat, fierté de Chafik, qui décore le mur. Son lit est au fond de la pièce. Il a récemment peint son appartement au grand complet et a choisi la couleur lui-même. Orange… Un orange criant de mauvais goût.

Mes yeux se posent immédiatement sur le téléphone et mes mains brûlent du désir d'appeler mes parents pour leur annoncer mon retour. J'en meurs d'envie depuis que mes pieds ont foulé le sol canadien. Je souhaite aussi prendre une douche et aller me balader dans les rues de ma ville, qui m'ont tant manqué.

— C'est hors de question, Sophie. Tu restes ici pendant que Chafik et moi allons reconduire le jeune à l'auberge de jeunesse du centre-ville. Repose-toi, tu en as besoin.

C'est non négociable, M a parlé. Ils partent tous les trois et je me retrouve à nouveau dans ma solitude, n'osant sortir de l'appartement, car j'ai désormais peur des réactions de M. J'ai rêvé de ce moment depuis des mois, je l'ai imaginé, dessiné dans mon esprit, jour après jour. J'ai prié et j'ai crié au ciel que je voulais revenir dans mon pays. Je me suis mutilée par colère et désespoir afin de me sentir en vie malgré ma captivité, et maintenant que je suis ici, dans mon pays, je n'ose pas sortir. Que suis-je devenue ?! Je me roule en boule, constatant que j'ai quitté un petit studio d'Afrique, à des milliers de kilomètres de mon pays, pour me retrouver à nouveau prisonnière d'un petit studio de Montréal. Rien n'a changé, rien ne changera donc jamais ? Même scénario, seule la géographie est différente.

J'ai l'impression que le téléphone m'observe, m'interpelle, me juge et me traite de lâche. Un duel s'engage et nous nous défions du regard pendant de longues minutes. C'est inhumain d'avoir accès à la voix de mes parents et de me sentir menottée même si je suis sans surveillance.

Je cède, laissant les émotions prendre le dessus, et, dans un élan, je fonce sur le combiné et je compose le numéro du portable de mon père, afin de mettre toutes les chances de mon côté et d'avoir une réponse à l'autre bout. Mes minutes sont comptées, car M pourrait débarquer d'une seconde à l'autre, ayant l'habitude de jouer à ce jeu malicieux, me laissant croire qu'il est sorti longtemps pour revenir plus tôt que prévu afin de me prendre la main dans le sac et ainsi avoir une raison de me battre ou de tout mettre en pièces autour de lui.

— Allo ?

Est-ce bien vrai ? Est-ce ma mère que j'entends à l'autre bout du fil ? Je craque. La frontière que j'avais érigée entre mes parents et moi afin de ne pas sombrer dans une déprime profonde et de me protéger contre ces sentiments vifs s'écroule d'un coup, et les larmes, celles retenues pour eux depuis des mois, se déversent une à une.

Au son de la voix de ma douce maman, je me mets à trembler.

— Allo, c'est Sophie…

— …

J'attends, la gorge nouée par l'émotion.

— Sophie ?! Mon Dieu, c'est toi ? Où es-tu ?

En entendant le ton de sa voix, je constate qu'elle est sous le choc.

— Je viens d'arriver à Montréal, je suis revenue, maman.

Elle est ébranlée, répétant sans cesse qu'elle n'y croit pas…

— Ma petite fille ! Tu es à Montréal et tu es en vie ! Parle-moi, ma chérie.

Mon regard est toujours braqué sur la porte d'entrée et je suis attentive au moindre détail. C'est alors que j'entends la serrure se déverrouiller et la poignée tourner doucement, tranquillement, lentement. C'est à regret que je pose violemment le combiné sur son socle, coupant ainsi la parole à ma maman, qui ne dormira sûrement pas de la nuit à présent, assurément tourmentée par la fin brutale de notre premier contact. Essayant d'être discret, mon M est de l'autre côté. J'espère qu'il n'a pas entendu le son de ma voix. La vieille porte s'ouvre en grinçant et je vois sa silhouette. Comme un voleur, il se tient droit, analysant la scène qui se trouve devant lui. J'avais vu juste. Il voulait me prendre au dépourvu, mais un filtre s'érige rapidement sur mon visage et je lui balance simplement :

— Tu es déjà de retour ? Je suis contente !

Il entre dans l'appart, l'air suspicieux, cherchant des signes d'une duperie quelconque de ma part, mais, n'ayant absolument rien à se mettre sous la dent, il change d'attitude et nous défaisons nos valises. Après un léger goûter, nous nous endormons dans le sofa-lit que Chafik nous a préparé.

Mon papa et ma maman me manquent terriblement. Entendre la voix de ma mère me rappelle que je leur fais du mal, ce qui me torture aussi. Je souffre horriblement cette nuit-là.

ACCORD SILENCIEUX

Nous sommes dans le bureau de Me Savoie. Papa me coupe la parole et je lui laisse le soin de raconter la suite, ce qui me permet de prendre une pause et de souffler un peu.

« Sophie et M sont arrivés à Montréal sans prévenir et, le surlendemain, nous avons de nouveau reçu un appel de notre fille, mais, cette fois-ci, c'était un appel de détresse. Elle nous a demandé d'aller la chercher au plus vite. Une première indication que tout n'allait pas bien. Sa mère et moi, qui étions déjà sur le qui-vive, avons sauté dans la voiture et nous nous sommes rendus à l'adresse qu'elle nous avait fournie.

« J'ai conduit à cent quarante kilomètres à l'heure de ma banlieue à Montréal, inquiet et dans l'urgence : j'avais tellement hâte de revoir ma fille. Elle nous attendait dehors, devant l'immeuble de Chafik. Aucun signe de M… Nous avons remarqué d'emblée qu'elle avait beaucoup maigri. Elle était pâle, son œil était violacé et elle était vêtue de noir des pieds à la tête, malgré la magnifique journée ensoleillée de ces derniers jours du mois de septembre. Je n'ai pas eu le temps d'arrêter complètement la voiture que ma femme s'est lancée à l'extérieur. Les retrouvailles furent émotives et extrêmement difficiles. Nous avons éprouvé un mélange de joie intense et de douleur en voyant Sophie devenue le fantôme d'elle-même. Elle regardait sans cesse de gauche à droite et nous a enjoints de monter dans la voiture et de démarrer rapidement. Mon épouse s'est assise sur la banquette arrière avec elle, et j'ai quitté en trombe cette rue, ce quartier.

« Nous avons donc passé un court moment avec Sophie dans un restaurant non loin de l'endroit où nous l'avons ramassée, en prenant soin de ne pas la brusquer, afin d'éviter qu'elle reparte sans nous donner de nouvelles. Elle nous parlait de son homme, nous racontant à quel point il la faisait grandir et combien elle était fière d'être devenue sa femme. À sa façon, notre fille venait tout bonnement de nous annoncer qu'elle s'était mariée. Nous étions totalement déstabilisés et déboussolés, autant par son discours, qui était en désaccord avec son énergie, que par la lueur de détresse émanant de son regard quasi inerte. Sa maman et moi n'osions la questionner davantage et avons, d'un commun accord silencieux, décidé de suivre son rythme, même si dans mon for intérieur j'aurais voulu la forcer à revenir avec nous à la maison et à répondre aux mille et une questions qui brûlaient mes lèvres. Elle a expliqué son œil bleu en inventant une histoire banale et nous a raconté son périple en Afrique de façon monotone et vague, parlant surtout des paysages et de la beauté du pays.

« Nous étions loin de nous douter de l'enfer qu'elle avait vécu pendant les derniers mois. Cet après-midi-là, nous l'avons reconduite à regret à cet appartement, le cœur déchiré. Un papa ne ramène pas sa fille à la maison de son bourreau. Je me déteste de ne pas avoir su détecter les mensonges de ma fille. Sur le chemin du retour, ma femme et moi avons dû nous arrêter sur le bord de la route, secoués, assommés, meurtris par ces courtes retrouvailles, mais au moins nous savions où elle habitait et la savions finalement revenue du bon côté de l'océan. »

GIFLE, GIFLE, BISOUS

La colère d'un monstre est souvent suivie d'un moment heureux, où il se repent et fait croire à sa victime qu'elle est une princesse, la prunelle de ses yeux.

Une semaine déjà que nous sommes revenus et notre couple semble avoir retrouvé un certain bonheur. Je me sens de plus en plus légère et M est aux petits soins, me promettant de nous louer un superbe appartement. Il s'est beaucoup adouci depuis le lendemain de notre arrivée, où il a déraillé, déversant toute sa frustration sur moi. Il gère mal ses émotions et je me fais un devoir de lui apprendre à raconter ce qu'il ressent au lieu d'exploser à tout moment. C'est justement après son violent emportement qu'il m'a permis de voir mes parents… *Keff, keff, boussa.* Gifle, gifle, bisous.

Je suis dans le métro de Montréal et je longe les murs de béton tant la cohue me soûle et m'étourdit. Je me sens bousculée par cette foule pressée et je ne retrouve toujours pas le rythme de cette grande ville. C'est ma première sortie seule depuis presque un an et je vis un choc culturel inversé en la présence de tous ces gens habillés légèrement.

L'angoisse est omniprésente dans mon corps fragile, mais je dois continuer mon chemin vers une entrevue pour un emploi que j'ai déniché dans le journal local.

M ne peut travailler et les maigres économies que papa M nous a léguées ne suffisent pas. D'autant plus que, sans emploi, nous n'arrivons pas à nous trouver l'appartement que M m'a promis et nous commençons à en avoir marre de squatter chez Chafik. Donc, M et moi, dans l'urgence, m'avons obtenu une entrevue pour un poste de secrétaire dans un groupe de courtiers immobiliers. Je pourrais demander de l'aide à mes parents, mais la colère de M s'intensifie dès que je prononce leurs noms. J'évite donc le plus possible de les mentionner. Pour quelles raisons est-il si hargneux envers eux ? Un monstre isole sa victime en lui faisant croire que sa famille et ses amis désirent détruire leur union, qu'ils ne sont pas une bonne influence pour son évolution. Malheureusement, je donne raison à M et je bloque à nouveau mes sentiments envers ces gens qui m'aiment tant.

Je passe l'entrevue avec succès et je commencerai à travailler dans cette grosse firme familiale dès le lundi suivant. Sur le chemin du retour, j'ai le sentiment qu'un nouveau départ s'offre à moi, qu'une nouvelle vie est sur le point de débuter. Mon estime personnelle augmente un peu et j'ai hâte d'annoncer à mon M la bonne nouvelle. Il sera fier de ma réussite. Je file directement à l'appartement.

Ni M ni Chafik ne m'ont laissé la clé du logement, je me vois donc dans l'obligation d'attendre sur le perron leur retour. C'est long… très long. J'ai reconnecté depuis hier mon téléavertisseur, lequel était resté enfoui dans ma valise durant mon périple en Afrique, mais aucun message de M. Il m'avait pourtant promis d'être à l'appartement pour mon retour, mais aucun signe de vie. Les nuages ont menacé d'éclater toute la journée et décident à ce moment précis de laisser tomber sur ma tête une fine pluie d'automne. Merde. Cinq minutes, ça va, mais je ne pourrai rester une heure de plus sous la pluie, déjà que la journée est fraîche. Le tonnerre est colérique et le déluge m'oblige à me réfugier dans l'entrée couverte pour continuer mon attente. Trois heures plus tard, M se présente à l'immeuble. Je ne peux m'empêcher d'être vexée par son manque de respect.

— Il y a longtemps que tu es là ?

— Trois heures au moins… C'était long, tu étais où ?

— Trois heures ? Tu aurais pu aller au café du coin pour m'attendre !

J'aurais pu, effectivement. Mais si j'y étais allée, il me l'aurait reproché et aurait sauté sur l'occasion pour laisser jaillir le volcan qui sommeille en lui et qui menace de faire irruption à chaque instant de la journée, et même de la nuit. Je me sens idiote et, en sa présence, je ne sais jamais sur quel pied danser.

— Change d'air, je nous ai déniché un appartement. Tu devras aller signer le bail demain matin. J'espère que tu as décroché le boulot ?

— Oui, effectivement.

— *Behi.*

Behi… Oui ? C'est tout ? Pas de : « Ah ! Mon amour, je suis fier de toi ! » Ni de : « Félicitations, c'est génial ! » Un simple *behi*. Pas d'excuses pour son retard ni d'accolade. Juste une étrange sensation que quelque chose ne tourne pas rond.

— Arrête de me fixer comme ça. Allez, entre.

— Alors, tu étais où ?

Il ne me répond pas et me pousse vers l'intérieur. J'ai un picotement à l'endroit où repose le troisième œil et je sens ma gorge se nouer.

— Je saute dans la douche, dit-il en passant la porte de l'appartement.

J'en profite pour fouiller ses poches. Une facture de restaurant pour deux… Une adresse et un numéro de téléphone gribouillés d'une main de femme sur une serviette de table. Nous sommes arrivés depuis une semaine et, déjà, il a renoué avec je ne sais qui, magouillant je ne sais quoi.

Hors de moi pour la première fois depuis si longtemps, j'entre en trombe dans la salle de bain et, brandissant la facture, je demande des explications. Violemment, il tire le rideau de douche, enjambe le bain et m'empoigne à la gorge. Il me pousse brutalement contre le mur et me tient fermement de sa main droite. Mes yeux vont sortir de leurs orbites, ma peau devient rouge, je manque d'air. Il approche son nez tout près du mien. Je sens son haleine siffler contre mon visage tant il respire fort. Nu, dégoulinant d'eau et de savon, il plonge ses yeux colériques dans les miens.

— Je ne te dois rien. Personne ne me demande de compte rendu, surtout pas toi. SORS !

Il détache sa main de ma gorge et retourne sous la douche sans rien ajouter. Haletante, je cherche mon air et je sors en titubant de la minuscule salle de bain. Je m'écroule sur le lit et tente de reprendre mes esprits.

Depuis cette seconde, je ne le questionne plus sur ses allées et venues. Je refoule mes doutes et je mets un masque par-dessus ceux qui me tatouent déjà le visage. Les trois jours qui suivent, je porte un col roulé, ses mains ayant laissé d'énormes traces sur mon cou, ce qui me remplit de honte.

Un monstre arrive toujours à ses fins

À mon grand étonnement, en ce dimanche matin, M m'annonce qu'il est temps qu'il revoie ma famille. Je suis désarçonnée et prise de court par ce soudain changement d'attitude, et mon instinct crie de me mettre sur mes gardes et d'analyser la situation avant de réagir. Serait-ce une façon d'arriver à ses fins ? M n'a aucun bien à Montréal, strictement une valise remplie de ses précieux vêtements dont il prend soin comme si c'était de l'or. Je n'ai rien non plus, uniquement une chambre meublée que je n'ai pas revue depuis des lunes. Comme nous devons déménager rapidement, l'appartement étant déjà libre, je crois avoir trouvé la réponse à ce soudain désir de revoir mes parents. Il me suggérera sans doute de vider la chambre de ma maison familiale et de déplacer mes meubles vers notre nouveau logis.

Devant M, j'appelle ma maman et, ne pouvant empêcher le sourire qui s'affiche sur mon visage, j'ai le plaisir de lui dire que M et moi mangerons avec eux ce soir, à la maison. Mes parents m'ont laissé plusieurs messages sur mon téléavertisseur depuis mon retour, m'implorant de venir les voir au domicile familial pour ainsi retrouver mes sœurs, qui se meurent d'envie de me serrer dans leurs bras. Maman est si heureuse de mon appel. Je sais qu'elle ne tient plus en place. Papa viendra nous chercher à la station de bus en bas de la côte menant vers la montagne où j'ai grandi.

M et moi sautons dans le métro un peu plus tard dans l'après-midi. J'avais pris soin de lisser mes longs cheveux blonds et de me maquiller légèrement avec l'approbation de mon M, qui m'a complimentée. Dans le miroir se reflètent des traits tirés et des joues creuses. Pourtant, je tente de rehausser mon image et de me donner une allure plus saine. Je n'aurais peut-être pas dû me mettre en valeur. Pendant une fraction de seconde, il croise le regard d'un homme qui me fixe. Je n'ai rien vu. J'entends seulement M aboyer une insulte vers l'homme en question avant de m'entraîner hors du wagon de métro. Il m'attire vers un banc et m'assoit sur ses genoux afin de faire taire les soupçons, il me tient fermement sur lui. Comme d'habitude, c'est dans le creux de mon oreille qu'il me traite de traînée et de sale pute. Sciemment, j'aguiche les hommes, dit-il, et, désormais, le maquillage est interdit. Fin de la discussion.

Après un voyage en bus d'un peu plus de quarante-cinq minutes, nous sommes dans mon patelin. Je suis triste et heureuse à la fois. Pleine de contradictions, je ressens de la mélancolie, qui est celle d'une loque humaine n'ayant plus le droit d'exister, mais aussi de la joie, celle d'une petite fille retrouvant sa maison, sa famille, ses racines. M est furieux contre moi et ne m'a pas adressé la parole depuis de longues minutes. Comment puis-je contrôler le regard des autres ? Pourquoi est-ce à moi de subir les colères de mon M ? Je m'en veux d'exister. J'essaie tant bien que mal de raisonner mon conjoint. Il finit par m'excuser à la toute dernière minute, tout juste avant que nous arrivions à destination.

Papa nous attend et, avec une poignée de main solide, il accueille mon M. *Il serre la main du diable...* Ce qui me fait frissonner.

M est un fin manipulateur. Nous passons une soirée des plus agréables malgré mon impression qu'un mur s'érige entre ma famille et lui. Je sens mes parents réticents envers M et mes sœurs marchent sur des œufs afin de s'assurer que nous ne couperons plus les liens. M maintient le même discours sur la politique, révélant à quel point il déteste les Québécois. Personne autour de la table ne veut en faire une affaire trop personnelle, préférant conserver une certaine dynamique. Je prends soin de servir et de desservir mon M, sous les yeux attentifs de ma mère qui, secrètement, me trouve bien soumise.

Personne n'ose poser trop de questions. Il n'y a aucune confrontation. Ils ont tous si peur de nous voir fuir à nouveau… Et M, lui, ment allègrement, démontrant à quel point il m'aime par des gestes affectueux et des attentions trop prononcées. Déjà le dessert, puis c'est à grand regret que je quitte à nouveau ma famille. Par gentillesse, maman veut nous reconduire jusqu'à la station de métro et ainsi nous éviter le bus, mais M décline fièrement son offre. Elle n'insiste pas. Ma chambre est restée

intacte, et M conclut avec mon père que nous uti-
liserons les quelques meubles s'y trouvant afin de
meubler notre appartement. Le week-end prochain, ma famille nous aidera à déménager.

Jamais assez

J'ai commencé à travailler depuis lundi et je reviens à l'appartement complètement épuisée par ces longues journées. Chaque matin, je dois subir une heure et quarante-cinq minutes de bus et de métro, sans compter les diverses correspondances, afin de me rendre au travail, puis me taper le même parcours le soir. L'appartement que M nous a déniché est complètement au nord-est de la ville et mon boulot est totalement à l'ouest.

Nous n'avons toujours pas de meubles et, lorsque je rentre, je dois m'activer à laver, à peinturer et à cuisiner un plat pour le souper. Le proprio nous a offert la peinture, alors j'occupe mes soirées à repeindre l'appart en blanc. Je me suis aussi arrêtée au magasin à un dollar afin de nous équiper du minimum : un chaudron à un dollar, deux assiettes pour deux dollars, deux verres, deux cuillères, deux fourchettes et deux couteaux.

Notre premier appartement est petit, mais rénové. L'immeuble est propre, mais les murs sont en carton et nous entendons les voisins comme si nous étions colocataires. Je n'ai toujours pas de rideaux. Juste un matelas gonflable en guise de lit, gisant sur le sol. J'ai tout de même rapporté mes oreillers et mes couvertures de la maison en attendant le déménagement prévu pour le prochain week-end.

Il fait sombre à mon retour. M n'est pas là : comme d'habitude, il a dû traîner dans un café. N'ayant pas encore eu le temps de nous procurer un double, il a caché la clé sous l'escalier. Je la récupère et j'entre dans mon nouveau chez-moi pour m'attaquer à la peinture. Je repeins notre grand appartement de trois pièces et demie, seule, au fil des soirs, tout en essayant de préparer de bons repas pour mon amoureux que j'espère voir arriver.

Comme j'ai déjà payé nos cartes de transport, il ne me reste que sept dollars avant de recevoir ma première paie. Je n'ai pas un rond, mais j'arrive tout de même à me débrouiller avec les boîtes de conserve du magasin à un dollar : légumineuses, petits pois, fèves au lard. J'ai acheté du pain et du beurre aussi. Je concocte de petits repas qui me semblent corrects ou, du moins, qui soulagent la faim.

Au boulot, puisque je n'ai pas de quoi me payer à manger, je jeûne (mis à part lorsque je me permets d'apporter une ou deux tranches de pain), jusqu'à ce que j'arrive à la maison afin de partager un souper avec M.

Un soir, alors que je repeins le salon en essayant d'oublier la peine que mon M me fait en ne partageant pas les précieux moments d'un premier appart avec moi, il entre avec fracas, complètement soûl.

Il avance lentement, se tenant au mur, essayant de ne pas tomber. Visiblement en état d'ébriété avancé avec une bière à la main, il me parle un langage d'ivrogne que je déchiffre bien malgré moi. Il m'insulte. Son ami et sa femme l'ont reçu comme un roi avec de la viande, des légumes frais, du vin et de la bière à profusion. Ils ont un superbe appart au centre-ville et ils possèdent une grande télé à écran plat. Et, moi, sa « femme », dit-il avec dédain, je lui fais manger des petits pois au beurre, je n'ai pas de voiture, ni même un téléviseur. *Tu es dans ton pays et tu n'arrives à rien. Kahba!* Il me traite de nullité, d'invalide, de bonne à rien. Mais le pire, ce sont les injures prononcées en arabe. Au Québec, nous blasphémons en utilisant des mots d'église, mais, dans le pays de M, ce sont des mots liés au sexe qui insultent la personne visée ainsi que toute sa famille.

Je suis sidérée. Comment ose-t-il? Je me lève à 5 h 30 chaque matin et je reviens vers 19 heures. Je fais tout à la maison, en plus de ramener du blé. Non, je n'ai toujours pas reçu mon premier chèque de paie, mais lui… que fait-il de ses journées à dépenser l'argent nécessaire à notre survie? Comment nourrit-il sa femme? Organise-t-il notre appartement pour le rendre habitable? Non, non et re-non! Il ne fait rien! Je suis clouée sur place, écoutant ses insultes, animée d'une violente colère qui me gruge l'intérieur. Il est si soûl que je sais qu'il ne s'emportera pas et qu'il va, au contraire, s'étendre sur le matelas gonflable et ronfler jusqu'au lendemain. Ce qu'il fait.

Je n'ai aucun désir de m'allonger à ses côtés tant je suis furieuse, mais le sol dur et le manque de couvertures me font changer d'avis. Je me couche donc en lui tournant le dos, mais je ne m'endors qu'à l'aurore.

Au bout de ses ficelles

Déjà le petit matin. Mon réveil sonne et je m'empresse de l'éteindre afin de ne pas importuner M, qui grogne lorsque l'alarme retentit plus d'une fois. Le miroir de la salle de bain me révèle un visage boursouflé de larmes et des yeux encore rougis d'avoir tant pleuré. Je saute sous la douche rapidement, essayant de faire le moins de bruit possible, et je m'habille, ayant pris l'habitude de toujours accrocher mes vêtements la veille sur le crochet de la porte afin d'éviter de retourner dans la chambre et de réveiller l'homme qui y dort. Sur la pointe des pieds, je me glisse à l'extérieur de l'appartement en attrapant mon sac à main au passage.

En marchant vers l'arrêt de bus qui se trouve à quelques pas de notre logement, une anormale sensation s'empare de ma colonne vertébrale, qui picote étrangement. Un frisson me parcourt. Mon troisième œil. Je sens un regard posé sur moi, me donnant l'impression que quelqu'un me suit de très près.

Je me retourne rapidement, balayant la rue du regard, mais il n'y a personne. Levant les yeux un peu plus haut, j'aperçois M à la fenêtre de notre logis, debout dans le noir, m'observant avec intensité.

Je visse mes yeux sur lui, le regard triste et les épaules basses. Comment puis-je affronter ma journée dans la tourmente de mon cœur affaibli d'un tel manque d'amour? Il me fait signe de revenir. Mon autobus approche et, si je le manque, je serai en retard au boulot. Je lui envoie un baiser de la main et je lui fais signe que je dois partir, lui montrant le bus de l'index.

M ouvre la fenêtre et sort la tête en beuglant:

— *Ya kahba*, reviens ici!

Je gèle. Je pensais qu'il voulait simplement m'envoyer un au revoir du revers de la main, mais c'est au visage que je recevrai assurément son revers si je ne reviens pas sur mes pas. Prise entre l'arbre et l'écorce, je laisse le bus passer devant moi. En vitesse, je remonte les escaliers et j'ouvre la porte de l'appart. Je remarque que mes mains tremblent, de peur, de fatigue…

Il est dans le vestibule, en caleçon. Si beau, mais pourtant si laid.

— Il n'y a plus de café. Tu en ramèneras ce soir. Allez, débarrasse.

— Tu m'as fait revenir pour ça? Je viens de manquer mon bus, lui dis-je d'un ton déçu.

Il s'en fout et claque la porte de la chambre avant de retourner se coucher. Ce matin, il avait besoin de me contrôler, de me montrer qu'il était encore et toujours mon marionnettiste et, moi, son éternel pantin. Le fait de travailler toute la journée et de ne pas être sous son joug l'importune sûrement et, par ce geste égoïste et méchant, il laisse sur mon âme une empreinte me rappelant que je suis toujours à son service.

Je rebrousse chemin, trépignant en attendant le bus suivant, qui tarde à arriver, et angoissée à l'idée d'être en retard au travail. Dans l'autobus qui me mène vers le métro, qui me mène vers l'autobus, qui me mène au travail, j'ai le temps de maquiller mes yeux et, ainsi, d'effacer les traces de mon désarroi. Un masque de peinture recouvre un masque qui cache mes émotions. Et, sur le chemin du retour, je prends soin de me démaquiller en jetant bien la lingette dans la poubelle à côté du chauffeur afin de ne pas laisser de traces de mon infidélité.

FAIRE SEMBLANT

S amedi. Comme convenu, mon père et ma mère nous aident à déménager mes effets personnels. Je les attends impatiemment, ayant hâte de leur montrer mon tout premier appartement. Ils ont rempli leurs deux voitures de tout ce que je possédais dans ma chambre (mon meuble télé, mes lampes, mon matelas ainsi qu'une table de cuisine et de vieilles chaises traînant au sous-sol) et ils ont conduit de la banlieue à Montréal, jusqu'à l'adresse que je leur ai fournie. M, lui, a fait installer la ligne téléphonique à l'appart durant la semaine. En utilisant mon nom, bien sûr. L'absurdité dans tout cela est qu'il me défend de donner notre numéro à qui que ce soit et a programmé la sonnerie à sa plus basse fréquence, donc nous ne pouvons l'entendre sonner. Alors, pourquoi devrais-je payer pour une ligne téléphonique inutilisable ? Parce que c'est ainsi.

M n'est pas à la maison ce matin-là. Il est parti tôt pour aller rejoindre des amis, m'a-t-il dit. Ses nouveaux amis du quartier, je ne les ai pas encore rencontrés et je n'ai que de rares nouvelles de ses autres copains, qui me surveillaient durant son absence l'hiver dernier.

M doit revenir à temps pour le déménagement. Déjà que mes parents ont tout transporté de la maison à la voiture, nous avons réellement besoin de ses bras pour monter les trois étages de l'immeuble de Montréal-Nord. J'attends leur arrivée en guettant par la fenêtre de ma chambre et, lorsque je vois au loin un matelas se baladant sur le toit de la voiture de mon père, je sais que M ne fera pas partie de la fête.

Je trépigne comme une petite fille, prenant ma mère par la main et lui faisant faire le tour du logement. Nous vidons ensuite les véhicules et montons tout à l'appartement. Ma douce maman m'aide à laver les armoires de la cuisine et, lorsqu'elle ouvre le frigo, elle ne peut s'empêcher d'échapper un « Sophie… » réprobateur.

— Je sais, maman, il est vide, mais je n'ai pas encore reçu ma première paie.

Outrée, ma mère me dispute gentiment, me faisant promettre de lui faire signe la prochaine fois que j'aurai besoin de quoi que ce soit.

Maman, si tu savais ce dont j'ai besoin… J'ai besoin de sortir d'ici, de quitter mon M. J'ai besoin de ne plus jamais avoir peur, de me sentir libre à nouveau, comme autrefois. Je veux retrouver mes quatre ans et ne plus grandir. J'ai peur de la nuit, j'ai peur de la vie et je n'ai plus la force de me battre contre la violence omniprésente, contre les mots, contre la douleur des coups, du viol de mon sexe et de ma peau. Maman, si tu savais le mensonge que je porte sur mon visage en ce moment, il est si dense. Ne vois-tu pas que je souffre ? Ne vois-tu pas que je veux mourir ? Ne vois-tu pas que j'ai besoin d'aide ? Maman, j'ai besoin de tout.

Cette prière résonne dans ma tête et mon regard vide envoie le signal à ma maman que je suis fâchée de ses mots.

— Ne le prends pas comme ça, c'est pour que tu comprennes que je suis toujours là pour toi, ma chérie.

Les yeux bleus de ma mère, la douceur de sa voix et la chaleur de son amour me transpercent l'âme.

— Je sais que tu es là pour moi, maman. Les temps sont difficiles… Mais ça va aller.

Connaissant ma mère, je sais qu'elle se rendra à l'épicerie du coin et qu'elle remplira notre frigo de provisions comme si nous étions en temps de guerre et mon père, fidèle à lui-même, glissera de l'argent dans la poche de mon manteau. Assez pour me soutenir jusqu'à la paie.

Sur ces entrefaites, M apparaît. Tout est terminé et mes parents, sur leur départ, le saluent assez froidement. Pour la première fois depuis longtemps, je vois M baisser la tête et mettre son costume de gamin, leur demandant même s'ils sont fâchés. Je ne mords pas à son jeu, mais mes parents, eux, y croient. Ils sont déçus, certes, affirment-ils, mais ils passent l'éponge. Mon frigo est maintenant bien rempli et le logement, mieux équipé, c'est donc dans une longue étreinte que je dois laisser mes parents partir en leur promettant que je donnerai désormais des nouvelles chaque semaine. Dès qu'ils passent la porte, le rideau tombe et le personnage que M a créé s'évapore.

Ce soir-là, il invite ses nouveaux copains à manger à la maison. Ils se servent comme des voleurs dans nos vivres et festoient jusque tard dans la nuit, fumant du haschisch et buvant de la bière… De la bière et du haschisch achetés avec mon argent. Aucun d'eux ne m'impressionne, au contraire. Un goût amer et une peur s'installent en moi face à ces individus au regard méprisant, rabaissant. Aucun ne me considère, faisant de ma présence celle d'une servante et me donnant des ordres comme M le fait. Il les laisse faire. Et moi aussi.

Où suis-je ? Je suis engourdie dans tout mon corps. L'aube se pointe et j'entends les oiseaux gazouiller leur bonjour matinal. Je lève la tête et un bruit strident résonne. Un tambour s'est logé dans mon crâne et les muscles de mon corps se contractent à nouveau. Le mal de vivre a cogné à ma porte.

À MES DÉPENS

Un monstre aime sa proie une journée et la déteste le lendemain. Il la chérit, la dorlote et la cajole pour mieux la déchiqueter. C'est son plaisir.

La dame qui est ma supérieure immédiate, pour qui je remplis des documents et réponds au téléphone, est gentille avec moi. Elle est bien portante et ressemble à ces grands-mères gâteau que nous rêvons tous d'avoir. En fait, j'ai une grand-maman gâteau qui a toujours chez elle des tartes au sucre, des réglisses rouges et des biscuits maison, mais elle est loin dans mon esprit. Je ne l'ai pas vue depuis des mois, presque une année. Ce midi, la dame en question me demande de la suivre dans la cafétéria et, ouvrant le congélateur, elle me pointe un sac transparent, rempli d'une dizaine de petits plats préparés par elle.

— J'adore cuisiner et j'en ai trop fait cette fois-ci. J'ai congelé des portions juste pour toi. Tu peux les faire réchauffer le midi et les manger… en entier, dit-elle d'un air amusé mais réprobateur, pointant son index vers mon ventre plat.

Si elle me les avait seulement montrés sans me dire que c'était pour moi, je n'aurais jamais osé en prendre un et le faire chauffer librement. Cette attention m'émeut aux larmes et je la remercie de sa générosité. La nourriture et moi avons un rapport difficile ces derniers temps, et mon estomac a tant rapetissé que je n'arrive pas à terminer ses repas délicieux. J'aimerais tant en ramener à la maison pour le soir, si seulement les contenants étaient jetables, mais le risque est trop grand et je crains que M trouve mes restes de lunch du midi. Il aurait probablement été humilié et m'aurait humiliée à mon tour.

Je rentre donc à la maison, aussi vite que me le permet le bus, anxieuse et fébrile après une journée au bureau. J'ai dû rester un peu plus tard ce soir-là et j'ai peur que mon retard écorche ma peau.

M est là et il m'attend. Il est bien rasé, habillé comme une carte de mode; un véritable mannequin dans ma cuisine. Je sens une belle énergie émaner de ce corps céleste, ce qui me fait sourire et ouvre mon âme vers la sienne. S'approchant de moi à toute vitesse, il me soulève et me fait tourbillonner dans les airs. Il me regarde droit dans les yeux et me dit des «Je t'aime» à répétition, tout en m'embrassant dans le cou. Je ris, il me chatouille du bout de ses lèvres délicieuses. Ce sont ces moments qui me gardent en vie et, malgré leur rareté, lorsqu'ils surgissent, ils sont beaux, grands et me font vibrer.

M m'amène dans la cuisine et, fièrement, me montre la table mise pour deux. Je me pince, je rêve, je suis abasourdie. Il m'a préparé un souper!

— Viens manger, c'est prêt!

Il m'enlace et, ricaneur, il me recule jusqu'à la chaise, se retourne et m'assoit sur lui en m'embrassant.

Je m'aventure, légère et charmante…

— Qu'est-ce que nous célébrons, mon amour?

Il se pose devant moi, tenant des assiettes de poulet halal qu'il a fait cuire dans du zeste d'orange et de l'huile d'olive. Ça sent bon. Je maudis les petits plats préparés par la dame du bureau, mon appétit n'étant pas aussi enragé que d'habitude, mais l'odeur délicieuse du poulet fait danser mes narines et ouvre ma faim.

M se met à parler rapidement, me racontant sa journée. Il ne me l'avait pas mentionné, voulant me préserver si les nouvelles n'étaient pas bonnes, mais son rendez-vous à la cour concernant son agression envers Yasmine devait se dérouler ce matin. Un plus un… En une demi-seconde, j'explique à mon cerveau son attitude du week-end, l'excusant auprès de ma conscience de ses gestes brutaux et colériques. Mon pauvre petit M, il devait être totalement anxieux et moi je n'ai pas compris, et j'ai fait la gueule au lieu de le couvrir d'amour. Je m'en veux.

Mon corps est en alerte, je suis tout ouïe.

Tout en avalant le poulet sec et trop salé, il me raconte la suite.

— La police n'a rien contre moi… La salope a bien mérité sa raclée, ils ont fermé mon dossier.

— Alors, ton visa est prolongé et tu peux rester ici?

— Non. Ça veut dire que je n'ai pas de dossier criminel, mais mon visa demeure ce qu'il est.

Il arrive à échéance étant donné que ton pays de merde ne me l'a octroyé que pour soixante jours, mais je m'en contrefiche.

— Oui, mais… c'est illégal, non ?

— Et alors ? J'ai des amis qui me fourniront de faux papiers.

Ai-je bien entendu ?

— Alors, voilà le plan. Nous avons besoin d'argent parce que ce que tu gagnes n'est pas suffisant pour la vie que je veux mener. Aujourd'hui, au café, en discutant avec Nabil, l'idée m'est apparue. Tu es toujours inscrite à l'université ?

J'ai abandonné mes études universitaires depuis belle lurette, mais oui, effectivement, mon dossier est probablement toujours actif. Je ne sais pas où il veut en venir, mais déjà un malaise s'installe dans le creux de mon abdomen. J'appréhende son idée de génie, ou celle de ce nouvel ami, Nabil, dont je n'ai jamais entendu parler.

— Tu feras une demande de prêts et bourses.

Boum. Oh non ! Mon Dieu, ne me dites pas que je devrai m'embarquer dans son délire ? C'est mon honneur et ma vie qui sont en jeu ici, pas les siens. Ce sont mes études, ma dignité. Si je fais cela, je devrai en assumer les conséquences et je sais que mon M ne me remboursera jamais cet argent. Je tente de le raisonner et de lui faire comprendre que ça ne fonctionne pas si facilement, qu'il y a des documents à remplir, que je devrai suivre de réels cours à l'université, mais il me coupe la parole et, d'un regard dur, il me dit qu'il en sera ainsi. Je me tais et j'espère secrètement qu'il ne m'entraînera pas dans cette fraude, qu'il réalisera par lui-même que ce cirque ne fait aucun sens.

Déçue de la tournure des événements, j'acquiesce et lui mentionne à regret que, finalement, c'est une bonne idée et que nous tenterons le coup. J'ai si peur de lui, de ses réactions et de ses coups qu'il est hors de question de le contredire, je l'ai bien appris. Un goût amer remplit ma bouche et me coupe l'appétit. De son côté de la table, il fabule, me raconte ce que nous allons faire avec l'argent, me promet bijoux et voyages. Voyages ? Comment veut-il voyager s'il séjourne illégalement au Québec ? Comment veut-il vivre s'il ne travaille pas ? Comment pense-t-il survivre avec mon maigre revenu ? Il s'invente un monde qui n'existe pas et part dans des fantasmes irréels. Il me fait l'amour et je n'ai aucun plaisir. Je le laisse me grimper dessus comme un animal et expulser sa folie dans mon corps endolori.

CAUCHEMAR

Dans l'appartement glacial de Montréal-Nord, je grelotte encore. Des vautours m'ont prise en otage. Une bande de rapaces traînasse chez nous, sous l'œil attentif de M. Quand je rentre du boulot, ils sont tous là à squatter l'appartement que JE paie, à manger la bouffe que J'AI achetée et à flamber l'argent pour lequel J'AI durement travaillé. Parti en fumé, cet argent. Le monstre en M devient plus grand que nature lorsqu'il consomme du pot, du haschisch ou du *free base*. Un ogre sans limites qui laisse des démons s'infiltrer et hanter ses tourments.

Dès que je passe la porte, M m'attrape par les cheveux au bas de ma nuque et, bestialement, il me traîne dans la chambre. La surprise est telle que ma réaction reste coincée au travers de ma gorge. Je n'ai pas le temps de me défendre ni de comprendre ce qui se trame. Mon regard balaie l'appartement et je vois quatre hommes gelés et soûls, affalés à même le sol de la salle à manger, ensevelis sous des bouteilles de rhum, des boîtes de pizza vides, des sacs de croustilles, des canettes de bière et des cendriers pleins à craquer. Leurs yeux noirs, leurs peaux basanées et leurs sourires en coin m'effraient.

Je les connais à peine, car ils sont tous de nouvelles fréquentations de M; des connaissances du café où il passe parfois des journées entières, jouant aux cartes et fumant des clopes.

Tremblement. Angoisse. Mon cœur veut sortir de ma poitrine tant il martèle contre mes os. M me propulse sur notre lit de nouveaux mariés comme une ordure qu'on jette à la rue. Il me prend d'assaut comme une bête cruelle, insatiable de chair, prête à déchiqueter sa proie. Ses yeux noirs ne sont plus les siens. Ses prunelles machiavéliques, diaboliques et perfides se trimbalent sur mon corps alors que, de ses mains, il déchire violemment mon chemisier. Il me tient le visage enfoncé dans le matelas alors qu'il me crache des mots qui charcutent mon âme.

— *Kahba*, sale pute, pétasse. À qui as-tu parlé aujourd'hui ? Tu t'es trémoussée devant tes patrons, salope ? Je vais te montrer le sort qu'on réserve à des *kahbas* comme toi.

Ces mots, ces images, ces moments font partie des cauchemars qui surgissent lorsque je m'assoupis, et que des soubresauts et d'intenses chaleurs font couler des sueurs froides sur mon corps. Depuis ce jour, je dors toujours en boule. Ainsi, je me sens protégée des démons qui pourraient m'assaillir.

Un à un, ils viennent dans la chambre et violent mon corps, fracassent leurs peaux sur la mienne et salissent ma misère. Ils volent et meurtrissent ma vie. La musique joue fort de l'autre côté du mur et je m'évade sur les airs de Charles Aznavour.

Charles et moi partons dans un autre monde où les astres brillent et où je suis un ange parmi les étoiles. Après, ils quittent l'appartement. M aussi. Je hurle, je saigne, je prie. J'ai des bleus sur mon corps et le blues dans l'âme. Je ne suis plus rien. Je n'ose pas me lever avant tard dans la nuit. Après m'être lavée en frottant doucement avec une débarbouillette chaque partie de mon corps, je m'endors sur une couverture propre dans un coin de la chambre. Je ne veux plus toucher à ce lit aussi sale que mon corps. J'ai dû m'évanouir, car c'est en sursaut que je me réveille, entendant les bruits des voisins ou provenant de l'extérieur. J'appréhende le retour de M. Il revient au petit matin et s'effondre sur le matelas. Il ne m'adresse pas la parole pendant plusieurs jours. Jusqu'à ce qu'il me pardonne, me dit-il, de m'être laissé faire.

Respirer le mal

Je suis de plus en plus isolée et je me retrouve à nouveau comme en Afrique, esseulée dans mon malheur, victime sans porte de sortie. Il se laisse emporter par sa colère tous les matins avant mon départ pour le boulot, m'assaillant de coups, m'aimant un jour et me quittant le lendemain. Je pars pour le travail les émotions à vif et les bleus tatouant mon corps. Je suis devenue experte dans l'art de camoufler les marques de doigts, les rougeurs de ma peau éraflée par ses ongles et les muscles endoloris que je récolte lorsqu'il me jette à terre et qu'il me frappe de ses pieds. Parfois, il met ses bottes avec cap d'acier pour intensifier le mal. M comme Malade, M comme Malsain.

Ce matin, nous sommes le premier du mois et je n'ai pas l'argent nécessaire pour lui fournir sa carte de bus. Comme d'habitude, je dois tempérer sa colère avant de partir, car le bus arrivera d'une minute à l'autre. Sur le pas de la porte, je lui dis précipitamment que je dois partir, mais qu'à mon retour en soirée il aura sa carte.

— Tu veux me confiner ici, *ya kahba* ? Tu penses que je suis assez con pour passer la journée à t'attendre sans bouger ? Comment veux-tu que je sorte si je n'ai pas ma putain de carte de bus ?

— Je sais bien, mais je l'avais, l'argent pour ta carte ! Tu l'as pris pour une autre de tes soirées avec tes connards d'amis !

Comment ces mots ont-ils pu sortir de ma bouche ?

Il vocifère. Je sens la tempête le gagner et ses yeux changer de couleur. Son aura est maintenant noire et il respire profondément, les épaules relevées, la tête baissée vers le sol. Un ogre prend tranquillement possession de son corps. Ses mains se crispent et son tronc se tord vers la gauche dans un mouvement lent qui semble pénible. Je sens le mur du vestibule se plaquer contre mon dos, n'ayant pas eu conscience que j'avais reculé.

Son coude droit se soulève vers l'arrière. La veine sur le dessus de son crâne rasé bat au rythme de sa respiration. Le seul bruit que j'entends est celui de son souffle et des doigts de sa main droite frotter dans sa paume pour former un poing. Sans relever la tête et avec une force irréelle, il enfonce son poing dans le mur à un millimètre de mon visage. Immédiatement après, il retire sa main écorchée du trou et me donne, du même poing, un coup direct dans le ventre. Sous la douleur, mon corps se plie en deux et un gémissement s'échappe de ma bouche. Il couvre mon cri avec sa main gauche en répétant : «Tais-toi, tais-toi, tais-toi ! » Il me pousse vers la sortie et referme la porte. Toujours pliée en deux, je dévale les marches jusqu'au rez-de-chaussée. Il fait froid maintenant dehors. La neige tombe relativement tôt pour un mois de novembre et le vent du nord souffle de plus en plus fort. Je prends une bouffée d'air, je lève les bras vers le ciel et, pleurant à chaudes larmes, je demande à Dieu ce que j'ai fait pour mériter cette violence sans fin. Je demande à mes anges comment faire pour ne plus revenir dans ce lieu de malheur. Je demande à mes guides de me donner la force de quitter M.

C'est alors que des mains m'agrippent par-derrière. C'est mon M, pieds nus, torse nu. Il enfouit sa tête dans ma chevelure et me demande pardon. Rebelote, même histoire. Après la pluie, le beau temps. Mon M grelotte derrière moi. Dégoûtée, je me défais de ses mains et je marche sans me retourner, le laissant à sa peine qui ne m'atteint pas ce matin. J'entends mon nom en écho dans la rue déserte, mais je continue mon chemin à la hâte et je saute dans le bus qui arrive sur ces entrefaites. Mes anges m'ont finalement peut-être entendue?

De la fenêtre, je le regarde rebrousser chemin et entrer dans l'immeuble la tête baissée et les épaules affaissées. Je ne sais pas si les occupants du bus me regardent parce que je pleure ou parce qu'ils ont assisté à ce moment dramatique, mais personne ne m'apostrophe et personne ne vient vers moi.

Seule avec moi-même, je respire dans ce mal qui m'habite. Je me sens comme une idiote, une abrutie, une ignorante, une tarée.

Joyeux Noël

Depuis le déménagement, M m'interdit de revoir ma famille. Mes parents ne comprennent pas pourquoi M est fâché contre eux. Ils nous ont pourtant offert des meubles, des articles ménagers et, à maintes reprises, par mon entremise, ils ont essayé d'inviter M à la maison, mais il veut se débrouiller seul. Comme il refuse leur aide, mes parents cessent de la lui offrir.

Au travail, je trouve le moyen de les appeler en cachette et, parfois, lorsque j'en ai la force, je demande à papa de venir me voir. C'est difficile, car, lors de chaque rencontre, j'enfile une armure et je me fais un devoir de démontrer que tout va bien. Me remettre de ces visites me prend toute mon énergie.

Je sais que papa doit prendre congé du bureau et conduire une heure dans les embouteillages constants de Montréal pour me voir une quarantaine de minutes avant de repartir. Même chose pour maman, qui doit traverser le pont pour se rendre jusqu'à moi. Je me sens coupable de leur infliger cela. Les commentaires sur ma maigreur et mon teint blême m'épuisent, car je dois inventer des excuses et je ne sais plus comment leur mentir. Les mots me manquent, alors je préfère les faire parler de leur quotidien afin de m'évader quelques instants dans leur univers.

Assister à l'impuissance de mes parents devant ma situation me fait mal. Ils ne savent rien, mais ils comprennent à quel point je suis ensorcelée par ce maître de la manipulation. Ils essaient de me raisonner, de me faire revenir à la maison, mais je me braque instantanément, ne voulant sous aucune condition aborder le sujet. La crainte que j'éprouve envers M me paralyse. À l'approche des fêtes, papa me demande si je serai avec eux à Noël. Et je ressens le pire pincement au centre de ma poitrine.

— Oui, j'y serai, papa, dis-je pour me convaincre.

J'aime Noël plus que toutes les fêtes, et le fait de ne pas le célébrer est inconcevable dans mon esprit. Depuis la dernière semaine, j'aborde doucement le sujet avec M, tentant la manipulation à mon tour afin que ce soit lui qui prenne la décision de fêter Noël chez mes parents. Je ne montre pas trop d'enthousiasme, car souvent il fait le contraire de ce que je désire.

Jour fatidique. Je me réveille et c'est le matin de Noël. Une petite neige féerique tombe sur Montréal et, par la fenêtre de ma chambre, j'observe les flocons tourbillonner dans le ciel. Mon cœur d'enfant palpite et s'impatiente, et j'essaie tant bien que mal de cacher mon excitation. M dort encore, je me lève donc en catimini et je me rends à la cuisine afin de préparer minutieusement un petit festin pour le déjeuner. Je m'amuse à apprêter de la pâte à crêpe selon la recette de mon grand-père, je prépare des œufs brouillés, puis je sors de petits sablés, des fruits frais et je fais couler le café. C'est Noël, je me sens légère. J'ai même un cadeau pour M, que j'ai caché sous l'évier. Il dort toujours. Je fais un peu plus de bruit afin qu'il se réveille, car il est presque midi et la tradition veut que la célébration chez mes parents débute à 16 heures avec un verre de champagne. Si nous prenons le métro et le bus, nous en avons pour deux heures au moins. Je prends ma douche, j'enfile ma robe de chambre et je passe la tête dans l'embrasure de la porte. Voyant qu'il est toujours sous les couvertures, je m'assois à ses côtés et, tendrement, je caresse sa tête en lui chantonnant que le petit-déjeuner est servi. M grogne un peu et finit par s'étirer de tout son long avant d'ouvrir les yeux.

Je quitte la chambre pour préparer les crêpes et réchauffer les œufs, puis je le vois finalement sortir de la pièce, attiré par l'odeur. Le matin, il est habituellement marabout, je le laisse donc dans sa bulle, mais de le voir manger avec appétit m'indique que c'est une bonne journée et j'ai bon espoir que nous fêterons Noël tous ensemble, dans ma famille.

Le petit-déjeuner terminé, M prend une douche à n'en plus finir, et j'en profite pour tout ranger et passer une robe longue, très discrète, mais un peu chic tout de même, ce qui lui enverra peut-être le signal que nous devons partir sous peu. Ma robe est désormais trop grande pour moi, tombant sur mes épaules frêles, me laissant l'image d'une soutane plutôt que d'une robe.

— J'ai envie d'aller me promener au centre-ville aujourd'hui, dit-il en sortant de la douche, une serviette entourant ses hanches.

Je ravale ma salive difficilement et, d'un ton détaché, je lui réponds :

— Oui, absolument. Bonne idée !

Un poids alourdit mes épaules. Je sais que ma famille attend de mes nouvelles et mon niveau de stress augmente d'une façon fulgurante. M joue à son jeu de pouvoir et de contrôle, et j'ai si peur de ses coups, de sa colère et de ses fureurs que je n'ose plus respirer. Je préfère me contenter d'espérer secrètement qu'il y aura un Noël ce soir.

Nous arrivons au centre-ville vers 15 h 30 le 24 décembre. Il y a foule dans les magasins, la musique du temps des fêtes résonne dans les haut-parleurs et des pères Noël font sonner leurs cloches, ramassant des sous pour l'Armée du Salut. C'est magique et, moi, je tiens la main de mon bourreau, comptant les minutes qui passent, sachant que mes parents ont déjà ouvert la bouteille de champagne et qu'ils ne m'attendent plus. Nous entrons dans les boutiques, M essaie des vêtements, nous ressortons bredouilles pour entrer dans la boutique suivante. M veut aller à l'arcade pour une partie de babyfoot. La détresse s'empare de mon âme. Le temps passe et, à contrecœur, je fais une croix sur mon Noël. Mon téléavertisseur vibre dans mon sac à main. Je consulte le numéro affiché.

— C'est qui ? me demande M.

Je lève mes yeux tristes vers lui, apeurée de devoir lui dire la vérité.

— Ma maman… Ils doivent se demander si nous fêterons avec eux ce soir.

— Fêter quoi ? Jésus ? C'est complètement idiot.

— Mais c'est Noël, *y'all baby* ! Tu sais à quel point je meurs d'envie d'y aller. Est-ce qu'on ne pourrait pas juste aller leur faire un coucou ? S'il te plaît.

— C'est ce que tu veux ?

— J'en meurs d'envie…

Nous nous arrêtons au coin d'une rue. Le vent glacial me fouette le visage. Je le regarde intensément, attendant sa réponse. J'analyse son langage non verbal. Il regarde au loin et ses mains dans ses poches font tinter les sous qui s'y trouvent. Il plisse les yeux et mordille sa lèvre inférieure. Il prend une cigarette dans son manteau et l'allume en aspirant une longue bouffée.

— Vas-y.

Et il se met à marcher, regardant droit devant lui. Je le suis rapidement, essayant d'attraper son bras, et c'est du revers de la main qu'il me lance une claque au visage. Je paralyse. Stoïque sur le coin de la rue, je pose ma main sur ma joue brûlante et je regarde M s'éloigner prestement sans se retourner. Je le perds de vue. J'attends. Une minute, deux minutes, dix minutes. Déboussolée et la mort dans l'âme. Il sera bientôt 18 heures et je n'essaie pas de le rejoindre. Je secoue la tête, mon petit corps en a assez. Je me rends à un téléphone public et maman répond à mon appel.

— Maman, c'est Sophie.

J'éclate.

— Je suis seule au centre-ville… Y aurait-il moyen que vous veniez me chercher?

Papa quitte la table et, une heure et quart plus tard, il est au centre-ville de Montréal. Sur le chemin vers la maison, je tremble et, en sanglots, je confie pour la première fois à mon papa d'amour que ma relation avec M ne va pas très bien. Je lui dis que nous nous sommes disputés à cause de la fête religieuse, mais je cache tout le reste et je lui fais promettre de ne pas s'inquiéter pour M et moi. Il essaie de me raisonner et me prie de dormir à la maison ce soir, mais je lui demande de changer de sujet et nous roulons en silence vers mon château fort. À un moment, il me prend la main et la serre doucement.

Je reste à la maison seulement une heure. Mon téléavertisseur sonne sans cesse : M, paniqué, me laisse des messages, tantôt m'ordonnant de rentrer et me menaçant de tout détruire à l'appartement, tantôt me disant à quel point il n'est rien sans moi et qu'il va se pendre si je ne reviens pas. Je gâche le Noël de mes grands-parents, de mes sœurs, de ma maman et de mon père, qui me reconduit au métro. Je tremble de toutes les parcelles de mon corps. Sous l'emprise de M, j'abandonne mon père qui, avec une tristesse infinie, me serre contre lui en me suppliant à nouveau de ne pas sortir de la voiture.

À la sortie de la station de métro du nord de la ville, j'attends de longues minutes le prochain bus. La tête baissée et le mal de vivre au plus haut point, je laisse jaillir mes larmes, alors que la peur me tord les tripes.

M est allongé sur le lit, dans le noir, totalement drogué. L'appartement est sens dessus dessous, mes assiettes sont en mille morceaux, le rideau de la salle de bain est en lambeaux et une chaise cassée gît sur le sol. Joyeux Noël.

VIDE DE SENS

Février. Je n'ai pas revu mes parents depuis ce fameux soir de Noël et je me bats contre moi-même pour rester en vie. La colère de M retentit au moins une fois par jour et les blessures physiques me marquent tous les deux jours, voire plus souvent. Je ne sais jamais lorsque le Monstre surgira. Mon corps a été violé, massacré, et M abuse de moi comme bon lui semble, déchirant ma peau là où la pudeur n'existe plus. Il a coupé une à une mes épines pour me réduire à néant et je m'accroche encore aux doux moments lorsque soudainement il réapparaît comme jadis, tel un fantôme du passé, plein d'amour et d'attentions. Le plus difficile à supporter, ce ne sont pas les coups, mais les mots qui blessent mon âme, comme si chaque parole était un couteau poignardant mon amour-propre. J'ai fini par le croire… Je suis une nullité qui mérite d'être battue.

M a reçu un virement d'argent de la part de son papa cette semaine, alors il me couvre de présents et de surprises afin de réparer les « os cassés ».

Il part tôt en ce samedi matin de février, me demandant de me tenir prête et de préparer une petite valise, car d'ici une heure il sera revenu. J'adore quand mon M est imprévisible et qu'il s'amuse à me surprendre de la sorte. Je prépare donc un petit sac dans lequel je balance divers articles : ma brosse à dents, des vêtements de rechange et ma trousse de maquillage, au cas où il accepterait que je me maquille un peu. Par la fenêtre du salon, je guette son retour. Quelle n'est pas ma surprise de le voir débarquer d'une BMW noire, flambant neuve ! Ce qu'il est beau et fier ! Cela fait partie des extravagances de mon M qui, soudainement, décide de louer une voiture luxueuse et de me kidnapper pour un *road trip* vers le nord. Ça nous fait un bien fou de dévaler les montagnes, nous imaginant riches l'instant d'un moment, oubliant le quotidien et nous prêtant à ce jeu comme des adolescents sans soucis ni tracas. Nous visitons de petits endroits pittoresques sur le chemin, nous arrêtant ici et là afin de prendre un café, de visiter une boutique ou simplement de marcher parmi les touristes.

Je me souviendrai toujours de cette journée, qui m'a permis de m'échapper du présent et m'a fait croire que tout allait bien ; un déguisement que j'arborais dans le déni de ce que nous étions devenus.

Dans un restaurant perdu au creux des vallées montagneuses du nord, nous buvons du bon vin et discutons de l'avenir, d'enfants et de projets : repartir vivre en Afrique pour y fonder une famille. M veut un garçon, m'informe-t-il, qu'il laissera à ses parents afin qu'il grandisse en se forgeant un vrai caractère et une armure digne des gens de son pays. Notre fils aura une nourrice pendant que nous continuerons à voyager et à bâtir une fortune. Il fabule. Si un jour j'ai des enfants, il est hors de question que je les abandonne à une nounou et encore moins qu'ils soient loin de moi ! Mais j'acquiesce, je fais comme si son monde était le mien et, surtout, comme si élever notre enfant parmi les siens allait de soi. *Mon Dieu, faites en sorte que je ne tombe jamais enceinte ! Mon Dieu, dans quelle galère me suis-je embourbée ?*

M décide finalement de retourner en ville le soir même, car il veut faire la fête avec ses amis. Il met fin abruptement à notre escapade amoureuse. Je n'ai plus d'attentes envers cet homme qui change de cap aussi vite que d'humeur.

Je suis tout de même déçue, j'aurais tant aimé que ce voyage improvisé se prolonge. Je n'ai aucunement envie de partager mon M en ce moment et je me renfrogne, gardant le silence sur le chemin du retour. Je ne suis jamais satisfaite, se plaint-il à répéter. Effectivement, il a raison, mais je n'arrive pas à cacher ma déception. Ce qui le rend immédiatement agressif. Je n'apprendrai donc jamais à tenir ma langue. S'il explose de rage tout à l'heure, ce sera bien de ma faute et je l'aurai mérité. Je discute avec la petite fille en moi, la suppliant de changer d'air et de trouver l'énergie nécessaire pour sourire de nouveau.

Il fait nuit lorsque nous arrivons au centre-ville. M s'arrête devant un *club* branché. Une longue file de jeunes font la queue derrière un cordon rouge qui sécurise la porte d'entrée. M se stationne en double devant la boîte de nuit et m'ordonne de rester dans la voiture avant de claquer la portière et de se faufiler à travers les jeunes de mon âge, heureux et insouciants. Peut-être y a-t-il une princesse dans cette file qui fréquente elle aussi un monstre ? Peut-être y a-t-il une jeune femme qui, sous des apparences trompeuses, une fois rentrée à la maison, se fait tabasser elle aussi et se fait traiter de pute parce qu'elle a dansé ce soir ? Moi qui rêve tant de danser à nouveau, j'envie ces gens qui osent briller. Ma lumière est éteinte et mon aura livide n'émet plus rien. Pourquoi je me résigne à rester coincée dans cette BMW ? Parce que j'ai renoncé, parce que je sais que je ne suis qu'une salope qui fait des bourdes à répétition et qui doit rester enfermée. Et parce que je ne suis pas présentable.

M revient à la voiture une bonne demi-heure plus tard, suivi de sa bande de potes pervers, lesquels se faufilent dans la BMW, déjà soûls, chantant une chanson obscène en arabe. Je croise le regard du plus grand des trois. Il a les dents cariées, les gencives noires, de grands yeux foncés et globuleux qui prennent trop d'espace dans son visage maigre. De façon dissimulée, en passant à côté de moi, il se penche à ma fenêtre et sort sa langue vulgairement en la faisant rapidement bouger de haut en bas pour ensuite se faufiler sur la banquette arrière, tout juste derrière moi. Cette indécence me dégoûte. Comment ose-t-il faire ce geste dégradant ? Oui, il ose. Ils osent tous me traîner dans la boue, car M le fait devant eux, alors, tels de pauvres singes, ils imitent le roi de la montagne. Personne ne l'a vu faire, sauf moi, qui baisse les yeux. Aussitôt, mon corps picote de malaise. Cet homme et moi partageons un secret. La terreur de cette nuit teintée de mains sur mon corps me glace le sang. Je ne respire plus.

Clouée sur le siège avant, je n'ai pas envie d'être entourée de ces rapaces ivrognes. M, triomphant derrière le volant, démarre la voiture et fait crisser ses pneus lorsqu'il appuie sur l'accélérateur. La bande lance des cris de gloire et nous empruntons l'embranchement de l'autoroute. M roule vite, très vite, et je sais qu'il impressionne ainsi ses camarades, mais moi j'ai la trouille et je lui demande en chuchotant, afin de ne pas l'humilier devant ses amis, de ralentir. Il n'a pas l'habitude de conduire sur les routes glacées de Montréal et une perte de contrôle semble inévitable. Les pneus glissent sur la neige et, soudainement, je sens la voiture partir vers la gauche, les roues ne répondant plus au volant que M fait tourner d'un côté et de l'autre, manœuvrant pour ramener la voiture de location sur le droit chemin. Je pousse un cri et je tiens fermement ma ceinture de sécurité, qui se bloque contre ma poitrine. Heureusement, il n'a pas freiné brusquement et le véhicule reprend sa position initiale juste à temps, évitant de justesse le mur de béton longeant l'autoroute. M esquisse un sourire de fierté et, sans broncher, il continue son chemin un peu moins vite, à mon grand soulagement, jusqu'à notre appartement où nous arrivons sains et saufs.

Il n'éteint pas le moteur. M se penche vers moi et m'embrasse sur la joue en me disant qu'il ne rentrera pas tard. Ma soirée est terminée et je rentre seule à la maison, le regardant repartir avec sa bande vers d'autres lieux. J'éprouve une intense tristesse et mon sentiment d'abandon s'intensifie lorsque je passe la porte de notre appartement quasi vide. Vide de sens, vide d'amour, vide de quiétude et vide de bonheur.

Encore aujourd'hui, ma blessure d'abandon est vive et me retrouver seule avec moi-même me ramène à cette période. J'ai peur d'être quittée, j'ai constamment l'impression qu'on m'abandonnera un jour ou l'autre, et j'ai un besoin constant d'être rassurée, aimée, valorisée. Être seule avec moi-même et, surtout, m'endormir seule restera toujours une bataille contre le vide qui m'habitait à cette époque.

LETTRE DE MA MAMAN

13 *février 2002*
        Ma petite Sophie adorée,
    Je ne peux arrêter de penser à toi… Je m'ennuie
de ma fille, je rêve à toi la nuit, je me demande si
tu es encore en vie, à quoi ressemble ta voix. Il y a
vingt-cinq ans que j'ai quitté ma Scandinavie, alors
tes sœurs, ton père… toi, vous êtes tout ce que j'ai.
Il est tout à fait normal que tu veuilles vivre seule
ou que tu désires habiter avec ton amoureux, mais il
n'est pas normal que je n'aie pas le droit de te voir, de
t'amener manger, ou que tu n'aies pas le droit de venir
passer du temps à la maison et que nous ne puissions
pas nous appeler pour prendre des nouvelles. Cela me
fait mal et dépasse mon entendement. Qu'une mère
n'ait pas le droit de connaître le numéro de téléphone
de sa fille… Que s'est-il passé depuis le déménage-
ment ? Qu'avons-nous fait de mal ? Que s'est-il passé
pour que ton propre père soit dans l'obligation de te
laisser, à ta demande, à plusieurs rues de ton logement
lorsqu'il est allé te reconduire la dernière fois ? Je t'ai
donné des photos de nous pour que tu les accroches au
mur de ton appartement et tu les as refusées. Et ta
carrière ? Depuis que tu es toute petite, je te soutiens

et je t'accompagne à chacune de tes auditions. Sophie, que se passe-t-il ? Nous avons aidé M lorsqu'il était sans ressources en Afrique, nous avons engagé des avocats, organisé des réunions pour son retour au pays, et nous l'avons aussi aidé à obtenir ses papiers. Pourquoi, soudainement, refusez-vous de nous voir ? Comment puis-je toucher ton âme et te retrouver, toi, ma fille ? Mon cœur de mère saigne de douleur. Je ne dors plus, nous ne parlons que de toi, nous angoissons à l'idée de te savoir peut-être malheureuse. Qu'ai-je fait pour que tu me tasses de ta vie ainsi ? Je t'aime, ma fille. Je t'aime à l'infini.

Maman

Maculée de rouge

J'ai peur de la nuit. C'est encore l'hiver, autant dans mon cœur que dans mon pays, et, cette nuit, la tempête fait rage et le vent souffle fort sur la fenêtre mal isolée de notre chambre. J'ai du mal à trouver le sommeil et, comme d'habitude, j'attends que mon M s'endorme et ronfle à mes côtés avant de pouvoir me détendre et relaxer mon corps toujours en alerte.

Je n'aurais pas dû m'endormir.

J'ouvre les yeux en panique. Un coup violent sur mon visage me tire brutalement de mes rêves agités. Un mal intense envahit mon crâne et je m'assois brusquement sur le lit. Je me retrouve nue, assise sur le matelas, et je vois le sang ruisseler, comme l'eau d'une fontaine, sur mes seins, mon ventre, mes cuisses. Affolée, je hurle de souffrance et de frayeur en voyant le liquide écarlate couler sur ma peau. Ma respiration est saccadée et la vive douleur entre mes yeux m'indique que le sang jaillit de mon nez. M met précipitamment sa main sur ma bouche et tente d'étouffer mes cris. Dans l'urgence, il m'ordonne à voix basse d'arrêter de crier et répète sans cesse :

— Ta gueule, putain ! Les voisins vont t'entendre. Mais tu la fermes, ta gueule !

Sa main sur ma bouche m'empêche de respirer et le sang qui coule de mon nez asperge ses mains. Il me couche brutalement sur le dos et m'enjambe. De tout son poids, il me garde clouée sur le lit, puis s'assoit sur mon corps ensanglanté. L'air ne passe plus, je m'étouffe dans mon sang, qui s'écoule maintenant dans ma gorge. Mes yeux cherchent frénétiquement de l'aide, mais il n'y a que le Monstre et son visage paniqué qui tente de calmer mes cris.

— J'enlève ma main si tu arrêtes de crier, dit-il, lui-même surpris de la situation.

Il voit bien que je suffoque. Il retire ses doigts de mon visage. Il se tient la tête et se détache de mon corps pour se lever du matelas. Il tourne en rond dans la chambre, attendant que je me calme, jetant des regards furtifs vers la porte. Il espère sûrement que les voisins n'ont pas entendu mes cris de détresse.

J'essaie de me calmer. Je finis par arrêter de crier, mais je tousse et je crache du sang.

— C'est un accident, *y'all baby*. Je n'ai pas voulu te faire mal. Je rêvais…

Je ne saurai jamais si c'était bel et bien un accident ou si M a voulu me blesser intentionnellement dans un moment de folie qui lui ressemble tant. Je me lève et je titube jusqu'à la salle de bain, le corps enduit de rouge vif, chancelante et près de l'évanouissement. Mon reflet dans la glace me révèle une scène d'horreur. J'ai du sang partout, jusque dans mes cheveux blonds. Mon nez commence à enfler et le mal est insupportable.

— Je ne comprends rien. Comment as-tu pu me faire ça ? M'as-tu vue ? ai-je prononcé devant le miroir.

La petite Sophie, maculée de rouge au beau milieu de la nuit. Était-ce ça, ma vie ?

M s'approche dans l'embrasure de la porte et veut me caresser l'épaule. Je me recule immédiatement.

— Ne me touche pas.

Il grommelle quelques banalités et retourne dans la chambre après s'être lavé les mains dans le lavabo de la cuisine. Je sens qu'il est aussi ébranlé que moi par cet événement, mais je m'en fous, il est fou et je suis consternée. Je reste longuement sous la douche, essayant de comprendre pourquoi je me suis réveillée dans l'obscurité avec le nez fracturé. Les bourrasques de cette nuit d'hiver s'infiltrent dans ma chambre et tourmentent mon sommeil.

Je ne dormirai plus jamais de la même façon.

Le lendemain, je ressemble à une vraie femme battue avec mes yeux violacés et mon nez boursouflé. Impossible de me présenter au bureau avec ce visage de boxeur après un match perdu. Les marques sur mon corps, je les camoufle facilement, mais ce matin aucun maquillage ne peut améliorer l'aspect de mon visage. Je prends le téléphone sans la permission de M et je demande congé à ma supérieure pour cause de maladie. Je n'ai nullement envie de passer la journée avec M, pourtant mielleux depuis qu'il est debout.

Aujourd'hui, je sais que je pourrais lui demander la lune et qu'il me la donnerait. M, qui ne baisse jamais les yeux devant personne, n'a pas osé me regarder depuis son réveil. Il a honte et j'ai honte… de lui.

SORTEZ-MOI D'ICI

1er mars 2002, 18 h 30. Après une longue journée de travail, je rentre à la maison avec un seul désir : prendre un bain chaud en lisant un livre. Je crains toutefois de rentrer à l'appartement, ne sachant pas quel accueil me réserve M. Un jour sur deux, il est heureux et ce n'est pas le cas aujourd'hui.

Ce matin, il ne me parlait pas, ignorant totalement ma présence. J'ai essayé de le sortir de sa bulle, tentant de faire le clown pour le faire rire, mais je n'ai fait que m'humilier davantage. Pourtant, je l'ai vu me regarder par la fenêtre de la chambre alors que je prenais le bus. J'espère donc avoir droit à un M « hop la vie » et je passe la porte en chantonnant exagérément de mon ton le plus jovial :

— Salut !! Je suis rentrée !!

M est sublime : habillé de son pantalon beige et de son cardigan blanc, et coiffé de sa nouvelle casquette gavroche à carreaux bruns que je lui ai offerte peu de temps après Noël, sans lui mentionner que c'était mon cadeau de Noël, bien sûr. S'il l'avait su, il l'aurait balancée dans la rivière. Il a la classe, le chic et l'élégance, mon M. Je suis

subjuguée par son allure, lui qui passe habituellement ses journées en « mou ».

— Tu es magnifique ! lui dis-je en m'approchant
pour l'embrasser.

Sa main m'arrête et me repousse sèchement.

— Tu me fais chier d'exister. Tu es un boulet à
ma vie, *ya kahba*.

Je me raidis et je recule d'un pas. Un boulet ?
Comment puis-je être un boulet ? Moi qui fais tout
pour combler ses moindres désirs ? Moi qui travaille
du matin au soir afin de tout payer : le loyer, la bouffe,
sa marijuana, ses sorties, ses cartes de bus, l'alcool
et les comptes ? Comment puis-je être un boulet ?

Il continue sur sa lancée, me crachant au visage
des injures d'une rare méchanceté et d'un sarcasme
humiliant. Je ne l'attire plus, je n'ai pas de vie, pas
de personnalité, je suis un tapis, je suis laide, je ne
me maquille pas, je ne m'arrange pas, je baise mal,
je ne suis qu'une Québécoise sans intelligence ni
culture.

J'éclate, je n'en peux plus de ces attaques.

— Arrête !

Un rire diabolique sort de sa bouche.

— Toi, tu me cries dessus ?

Sa voix est grave et son ton est méprisant. Il
s'avance d'un pas et son index pointé en ma direction s'enfonce dans le creux de mon épaule.

— Toi, sale pute, tu me cries dessus ? répète-t-il.

Et son index s'enfonce une deuxième fois dans
mon épaule.

— Je te quitte, *KAHBA*.

Il a prononcé « *kahba* » si lentement, en appuyant
sur chaque syllabe, en enfonçant son index encore

une fois au creux de mon épaule, afin d'implanter ce mot profondément dans mon corps et dans mon esprit.

— Je ne veux plus jamais revoir ta laideur. Et tu sais quoi ? Ce soir, je retrouve tout un harem de femmes. Je vais les baiser une à une et m'assurer de les faire jouir bien comme il faut.

— Arrête… *y'all baby*, tu es méchant. C'est fou, ce n'est pas toi, ça. Arrête !

Mes larmes coulent. La porte claque. Il m'a quittée. Je m'effondre sur le sol, ses mots résonnent en boucle dans ma tête. Baiser un harem de femmes, je l'en sais capable. J'attends qu'il revienne, mais cette fois-ci il ne revient pas. Je suis totalement scandalisée, abasourdie, blessée. Jamais je n'aurais cru qu'il me quitterait ce soir. Le mal envahit chaque fragment de mon corps. Du haut de mes dix-neuf ans, je prends un papier et un crayon, et je griffonne à je ne sais qui ces mots. Ces mots pêle-mêle qui l'éloignent de moi. Ces mots qui me hantent.

Sale pute. Chaque jour, il me traite de sale pute et, ensuite, tout redevient normal. Je dois payer pour qu'il reste avec moi. Je n'arrive plus à m'en sortir, je suis une pute à sa merci. Il a couché ailleurs une fois déjà et, ce soir, c'est un harem qui l'attend. Je l'ai poussé vers un harem, car je ne suis qu'une bonne à rien. Durant la journée, il se promène, va chez des amis et s'amuse pendant que, moi, je travaille… et il se plaint lorsque nous n'avons pas d'argent. Un jour il m'aime, et le lendemain il ne m'aime plus. J'en ai marre. Il dit que tout ce que je fais, c'est de la merde, que je ne suis rien pour lui. Comment peut-on dire à une personne

qu'on l'aime, alors qu'on ne fait rien pour elle ? Rien.
À part me traiter de pute et de salope, et passer ses amis
avant moi. Je rêve que tout redevienne comme avant.
Nous ne faisons jamais rien ensemble et, après, il me le
reproche. Mais il ne veut pas que je sorte, ni que je me
maquille, ni que je porte une jupe en haut des genoux,
ni même en bas des genoux ! Je n'en peux plus d'avoir
toujours mal. Je n'en peux plus de vivre dans la peur
et dans la souffrance, dans l'oppression et dans l'in-
fériorité. Il me répète sans cesse que je suis inférieure
à lui, que je me retrouve au dernier rang. Alors, il a
épousé une femme du dernier rang ? J'ai tout fait pour
être aimée et pourtant…

Il est 21 h 40. Ça fait maintenant deux longues
heures qu'il est parti et je suis encore dans le vestibule, assise à même le sol, le dos appuyé contre le
mur. Je suis à bout de forces, je ne tiens qu'à un fil.
Ma poitrine est oppressée et je respire difficilement
à travers mes larmes qui coulent encore. Je prends
le téléphone et je compose le numéro de la maison.
Ma maman répond, étonnée d'entendre ma voix.

— Je voulais juste vous dire que je vous aime à
l'infini. Dis à papa que je l'aime.

— Sophie ? Où es-tu ? Je viens te chercher.

— Tout va bien, maman. Je voulais juste vous
demander pardon et vous dire que je vous aime.

Et je raccroche. Comme un robot, je me rends à la
salle de bain et j'ouvre la pharmacie. M, un hypocon-
driaque, garde toujours un arsenal de médicaments
dans cette armoire. Ils sont tous là, bien alignés, à la
hauteur de mon regard : bouteilles, boîtes, capsules,
sirops. Si je les prends tous, je ne survivrai pas.

Une force intérieure me pousse à prendre la première bouteille et j'ingurgite un à un les comprimés. Deuxième médicament : je le vide aussi. Ça ne va pas assez vite. J'enfonce maintenant les remèdes à mon mal par dizaines dans ma bouche et j'avale le tout avec mon allié, un grand verre d'eau tiède qui fait passer le tout plus facilement jusqu'à mon estomac. Je vide les boîtiers, j'avale les sirops, je mets fin à mon calvaire petit à petit avec une détermination absolue.

Je veux mourir. Je dois mourir.

Il ne reste plus rien à ingurgiter dans l'armoire à pharmacie. Je ferme les yeux et j'essaie de ressentir les effets du geste que je viens de poser. Mes bras s'engourdissent tranquillement, mes jambes ramollissent et ma tête émet un étrange bourdonnement. Je ferme le cabinet et, à travers le miroir, je plonge mes yeux dans ceux de Sophie. Je la fixe longuement et, curieusement, elle me regarde aussi. Cette petite fille au regard immensément triste, d'une profondeur troublante, qui est-elle ? Je ne reconnais pas ces yeux qui portent un mal de vivre. Je ne reconnais pas ce visage blême et maigre, ni cette petite bosse sur le nez qui fait désormais partie intégrante de ce visage.

Mon corps est maintenant totalement engourdi. J'avance difficilement vers la chambre pour retrouver le lit et m'endormir à jamais. J'ai mal à la tête et au corps. Je me laisse choir sur le lit défait. L'odeur de M remplit mes narines et je hurle comme un loup à la lune.

Rejoindre les astres et me perdre à jamais dans l'infini. C'est quoi, l'infini ? Qu'est-ce que l'éternité ? Où vais-je aller après ? Je n'en sais rien. Tout ce que je sais, c'est que l'enfer, c'est la terre ; l'enfer, c'est mon quotidien depuis trop longtemps maintenant. Je sombre dans mes pensées. La pièce tourbillonne et un vertige me prend d'assaut. Je perds connaissance sur le lit où mon bourreau m'a trop souvent traînée.

C'est le matin et je ne suis pas morte. Au cours de la nuit, j'ai régurgité tout ce que j'avais avalé la veille. Mes muscles sont endoloris par les spasmes qui ont pris possession de mon corps pendant des heures interminables. Je suis seule et j'ai mal à toutes les sphères de mon existence. Pourquoi ne suis-je pas morte hier ?

J'ai peine à me lever. La journée passe et je finis par sortir du lit. Je traîne dans l'appartement et, honteuse, je nettoie la chambre des médicaments liquéfiés sur le sol. J'erre, pieds nus, dans ce logement que je déteste. J'ai tellement mal à l'estomac que je me demande si je ne devrais pas appeler une ambulance. La journée passe difficilement. Aucun signe de M. Où est-il ? Que fait-il ? Combien de femmes a-t-il eues hier ? Je souffre.

Je m'endors finalement tard en soirée, seule au monde, morte en dedans.

Dimanche matin, au réveil, toujours aucune nouvelle de M. Je n'en peux plus de souffrir seule, et la panique monte en moi. Je me frappe au visage, je me cogne la tête au mur, j'ai mal, je suis perdue. Le supplice ne peut plus durer, la torture me gruge, je vais mourir de douleur. Dans un élan non prémédité, dans un cri de désespoir, j'appelle mon père, le suppliant de venir me chercher et de vider l'appartement.

— Viens me chercher, papa!!! S'il te plaît, venez me sortir d'ici. Je vais mourir!

— J'arrive. Dans une heure, je serai là.

— Il est parti depuis vendredi. Je le quitte, papa. Dépêche-toi avant qu'il revienne.

— J'arrive! Entre-temps, fais ta valise. OK?

— Oui… S'il te plaît, viens vite… Je n'en peux plus.

Dans l'urgence la plus totale, je jette dans ma valise tout ce que je possède. Je m'habille précipitamment et, quarante-cinq minutes plus tard, je vois par la fenêtre de la cuisine la voiture de mes parents ainsi qu'une deuxième voiture s'arrêter devant l'immeuble. Malgré ma faiblesse extrême, je descends à la hâte leur ouvrir la porte principale du bâtiment.

Papa, ma grande sœur et son amoureux (Mathieu, six pieds et quatre pouces et la carrure d'un athlète olympique) s'infiltrent dans l'immeuble et grimpent les marches deux par deux. Quant à ma maman, elle me prend dans ses bras et je me blottis contre elle. De ses deux mains, elle entoure mon visage.

— Nous te sortons d'ici. C'est fini maintenant. Viens.

En moins de trente minutes, ils ont tout vidé. Table, chaises, assiettes, verres, meuble télé, matelas, ustensiles, etc. Nous sommes une escouade militaire déménageant le contenu d'un appartement juché au troisième étage en une vitesse éclair. Nous laissons à M uniquement ce qui lui appartient : ses vêtements et sa brosse à dents, c'est tout ce qui reste. J'ai une peur extrême qu'il revienne avant que nous soyons partis. Je veux sauver ma peau. Nous faisons un dernier tour de l'appartement et je dis adieu à ce lieu maudit.

Sur le palier, nous croisons quelques occupants de l'immeuble, dont le gentil concierge qui me regarde toujours avec empathie. J'ai su après-coup qu'il avait raconté à mes parents que mes voisins étaient sur le point d'appeler la police et que les cris et hurlements qui sortaient de mon appartement leur glaçaient le sang. Mon cas a même été abordé lors d'une réunion… J'ai honte.

Nous partons en trombe. Dans la voiture, je sens un premier instant de libération. Filant vers la Rive-Sud, recroquevillée sur la banquette arrière, je pense avoir trouvé la force de le quitter.

Chercher son air

J'ai demandé à mon employeur un congé pour les deux prochains jours. Elle ne s'y est pas le moindrement opposée, bien au contraire. Je ne suis peut-être pas l'experte en camouflage que je croyais être.

J'essaie de reprendre des forces chez mes parents, mais l'image de M hante mon esprit à chaque instant. Je me sens à nouveau comme un pantin sans ficelles et j'ai mal, si mal. Il me manque terriblement malgré tout. M a commencé à laisser des messages sur mon téléavertisseur le dimanche, quelques heures après le déménagement. Le premier soir, je reçois des messages toutes les quinze minutes et, le lendemain, c'est toutes les deux heures que mon appareil vibre.

— Comment as-tu pu me faire ça ? Où es-tu ? Tu es ma femme, reviens immédiatement ! Mon amour, comment as-tu pu me quitter ? Tu as vidé l'appartement. Je ne suis rien sans toi. Je suis désolé. Mon amour, reviens-moi.

Dans ses messages, il me raconte les beaux moments du début de notre relation et fait jouer les refrains de nos musiques préférées. Il me dit qu'il ne bougera pas de l'appartement, qu'il m'attend. Il pleure parfois, menace de s'enlever la vie aussi. Il affirme que mes parents m'ont kidnappée et qu'ils me retiennent contre mon gré. Il doit venir me délivrer. Il me promet de changer, il a compris.

Je me bats contre moi-même pour ne pas flancher, essayant de me convaincre qu'il ne changera jamais. Mais ses mots sont si doux et c'est la première fois que je le quitte vraiment. Peut-être a-t-il compris?

Ma mère tente de me confisquer mon téléavertisseur et la crise que ce geste engendre la fait reculer. Personne ne doit y toucher. C'est le seul moyen que j'ai de garder contact avec M et il est hors de question que je n'écoute plus ses messages. Je suis une héroïnomane de son amour et on tente de me désintoxiquer de lui à froid.

Dans le salon de la maison familiale, je suis hors de moi. La sueur perle sur mon front, mes doigts se crispent et je m'affaisse sur le sol. Je n'arrive plus à respirer, l'hyperventilation s'intensifie, je vais mourir. Mes parents, agenouillés à mes côtés, me caressent le visage et retiennent mes bras qui cognent le sol. D'intenses crampes musculaires font plier mes pieds et mes orteils. Je cherche mon air, j'étouffe. Première crise de panique. De longues minutes plus tard, je reprends mon souffle et le calme me regagne petit à petit. Je suis épuisée, vidée, à bout de nerfs. Papa me transporte jusqu'à mon lit et ma tendre maman me caresse les cheveux jusqu'à ce que je m'endorme. Je me réveille quelques fois durant la nuit, car des cauchemars troublent mon sommeil. Où suis-je? J'ai peur.

Après un week-end éprouvant, mon père m'accompagne au bureau des propriétaires de mon immeuble qui se situe, par chance, loin de l'appartement maudit. Je décide de résilier le bail afin de ne plus jamais avoir à remettre les pieds dans cet endroit. Nous convenons d'une entente et ensuite, *basta*, je tourne la page. Le concierge se chargera d'aviser M qu'il doit quitter les lieux immédiatement. Je tremble. Comment puis-je lui faire ce coup bas et le jeter à la rue ? Qu'est-ce qui me prend ? Ça ne me ressemble pas. J'imagine l'humiliation qu'il ressentira lorsque le concierge lui demandera de partir. C'est moi le monstre ! Mais il est trop tard et je n'ai pas d'arguments contre l'autorité de mon père et des proprios. Je n'ai pas non plus la force de me battre. Les propriétaires ont eu vent de la violence qui régnait dans l'appartement et il est hors de question qu'ils gardent sous leur toit cet homme qui dérange les autres occupants.

Je suis de nouveau dans la voiture avec papa. L'anxiété me gagne. Le geste que je viens de faire est sans retour. Je viens de perdre mon appartement, mon M, ma fierté. J'ai honte, j'ai peur, je veux encore mourir. L'angoisse s'installe dans ma gorge.

— Papa, je panique. Arrête la voiture !

Papa se gare rapidement sur l'accotement et me parle doucement. Je contrôle péniblement ma respiration. La crise s'intensifie, sur le bord de la route. J'entame un duel avec mon corps, qui se contracte sous l'attaque de panique et l'assaut de mon raisonnement, qui essaie de me sortir de cette impasse.

— Sophie, si tu me le permets, je vais appeler notre psychologue. Maman et moi l'avons consulté à plusieurs reprises au cours des derniers mois et il pourrait t'aider.

Aucun son ne trouve son chemin, alors je hoche la tête. Je suis désespérée, le mal ronge mes tripes. Oui, j'ai besoin d'aide.

Le retour à la maison se fait dans le silence. Un silence apaisant où je sens l'énergie rassurante de mon papa que j'aime tant. Sa présence me réconforte et je m'endors pendant qu'il conduit en écoutant la musique de Chris de Burgh.

RAMÈNE-MOI
DANS TES FICELLES

Des dizaines et des dizaines de messages s'accumulent sur mon téléavertisseur. M a su… il quitte l'appartement. Il est peiné, souffrant, et il sait qu'il a eu tort de succomber à ses démons. Il ne me traitera plus jamais mal, c'est une promesse. Les promesses d'un monstre sont comme un arbre sans fruits : je ne goûterai plus jamais aux fruits de ses promesses.

Assise sur le canapé chez le psychologue de mes parents, je me fais questionner sur ma vie. Papa est présent et m'écoute raconter mon histoire. Oui, M me bat pratiquement tous les jours. Je fais le récit des agressions avec un détachement qui me surprend moi-même, car je ne fais pas confiance à l'inconnu devant moi. Il m'explique que je me trouve sous le joug d'un manipulateur, d'un homme violent, bla-bla-bla. Je sais… je le sais bien. De plus, je crois que je mérite d'être traitée de la sorte : je suis jalouse, contrôlante, possessive. J'ai trop besoin d'attention, je n'ai pas d'argent, je ne suis pas assez femme, je suis trop petite fille. Je n'ai pas d'amis ni de religion. Je suis nulle, je suis moche. Je ne sais pas comment le comprendre, comment l'écouter.

Je ne fais que le mettre en colère. Je ne comprends pas sa personnalité. Tout est de ma faute. C'est déjà une chance que M m'aime, personne ne peut m'aimer autant que lui.

Mon père serre les poings, les yeux humides, la voix éteinte.

— Je ne savais pas, Sophie… Si j'avais su…

Qu'aurais-tu fait, papa ? Tu ne pouvais pas me sortir de là de force, je n'aurais pas voulu. Tu ne te serais pas battu avec lui, ça ne te ressemble pas. Tu n'aurais pas engagé la mafia pour le tuer, tu ne vis pas dans un film. Tu m'aurais parlé et tu aurais essayé de me convaincre de quitter mon calvaire. C'est ce que tu fais présentement, papa. Tu n'aurais rien pu faire, ne te sens pas coupable, je t'en prie.

Mon M, lui, a compris. Ses messages me le confirment. Je n'ai qu'une seule envie : déguerpir et le retrouver afin de me souder à lui. Je garde cette pensée pour moi, j'opine de la tête et je consens au discours de l'homme qui a passé ses années universitaires à étudier l'âme humaine. Il pense me sauver, alors qu'il me repousse dans les bras de mon Monstre, car je sais que, cette fois, M a vraiment eu peur de me perdre et qu'il changera pour redevenir le prince d'antan.

Dès le retour à la maison, je m'enferme dans ma chambre et j'écoute ses messages. Ils sont nombreux et d'une rare beauté. Les mots d'amour pleuvent dans ma machine et enserrent mon cœur qui ne veut plus résister, je souffre trop. Tant qu'à souffrir, je préfère souffrir avec lui. M est chez

Chafik. Je succombe et je l'appelle. Je téléphone directement au diable et lui vends mon âme.

— Mon amour, c'est moi.

— Oh… *y'all baby*. Oh! *Allahou akbar!* Oh, mon amour, je t'aime! Tu m'as appelé, finalement! Où es-tu?

— Chez mes parents. Viens me délivrer, mon amour.

— Je savais qu'ils te détenaient contre ton gré. Tiens bon, je prends un taxi et j'arrive. J'ai si hâte de te serrer dans mes bras.

Quelques jours auparavant, j'ai lancé un appel afin que mes parents me délivrent de mon tortionnaire et, ce soir, j'appelle mon bourreau pour qu'il me fasse à nouveau prisonnière.

Je ramasse mes effets personnels, lesquels sont enfouis dans un sac. J'attends un bon quarante-cinq minutes avant de quitter ma chambre. Il est trop tard pour reculer, mais je ne veux pas affronter mes parents. Ai-je pris la bonne décision? Mes pensées s'entremêlent et mes idées ne sont plus claires. La petite fille en moi crie «NON», ma poitrine se contracte et ma tête *spine* à deux cents kilomètres à l'heure. Qu'est-ce que je fais?

Je descends l'escalier, me dirige vers le vestibule et cache mon petit bagage dans la garde-robe de l'entrée. Ma maman finit de préparer le souper et mon père lui tient compagnie en sirotant son *single malt* favori. Ils sont si beaux ensemble. Je les observe en cachette quelques instants et je les remercie secrètement pour ces quelques journées de répit. *Je suis désolée, maman, papa. Je suis désolée d'exister et de vous faire tant de mal.*

La sonnette retentit. Mon cœur veut sortir de ma poitrine, car je sais que M se trouve de l'autre côté. J'avance tranquillement et j'ouvre la porte sur mon M, qui se jette dans mes bras, me soulève et m'amène à l'extérieur, sur le palier de l'entrée. Il m'embrasse dans le cou, me colle à sa poitrine. Son odeur ne sent pas le miel, il dégage plutôt un parfum âcre qui me rappelle celui d'un hôpital. Son teint est verdâtre et ses cheveux sont rasés au millimètre près. Il n'a pas l'air bien… je ne tolère pas de l'avoir mis dans cet état. Ses douces et magnifiques lèvres pulpeuses embrassent les miennes, et la chaleur de son baiser fait vibrer tout mon être.

Mes parents sortent de la cuisine et papa, lorsqu'il entrevoit M, s'élance vers lui.

— Que fais-tu ici ? clame mon père.

M me repousse doucement derrière lui et fait face à mon papa en bombant le torse, la tête bien levée.

— Je viens reprendre ma femme ! répond mon M.

Une altercation monstrueuse entre les deux débute. Il y a de l'agressivité dans l'air, la tension monte. Le chauffeur du taxi dans lequel est arrivé M klaxonne pour nous avertir de nous dépêcher.

— Ta femme ? C'est comme ça qu'on traite une femme ? Sophie n'a jamais été et ne sera jamais ta femme, va-t'en ! hurle mon père.

M ignore ses mots et me prend par la main pour m'emmener vers le taxi.

— Sophie, tu restes ici ! crie mon père.

Nous sommes maintenant dans l'entrée, devant la maison de banlieue de mes parents. Mon père nous suit et accroche M par les épaules pour le faire abruptement pivoter vers lui. Personne ne touche à M. Il veut se battre. Il jette son manteau sur le sol et relève les manches, défiant mon père de lui mettre son poing au visage. Mon père sort de ses gonds. Jamais de mon existence je n'ai vu mon papa hors de contrôle. Son visage est rouge et ses yeux menacent de sortir de leurs orbites. Les deux hommes se lancent des insultes sans fin. Ils vont se battre. Je frémis de peur et je les implore d'arrêter. Ma maman, qui est aussi sortie, s'interpose entre son mari et le mien, et ordonne à ma petite sœur, qui assiste à la scène, d'appeler la police.

Ma petite sœur. Elle avait douze ans à l'époque. Apeurée, elle compose le 911. De sa petite voix d'enfant trop jeune pour assister à ce combat, elle doit se mêler à cette bagarre.

Alertés par la dispute, nos voisins échappent à leur tranquillité et nous observent de loin. M se retourne vers moi et m'ordonne de m'éloigner d'eux. Je suis prise entre l'arbre et l'écorce, je ne sais plus quoi faire, je suis complètement mortifiée par cette lutte qui, par ma faute, se déroule devant mes yeux. M se met à crier.

— C'est avec ce connard de père que tu veux rester ? Il n'a même pas les couilles pour me foutre une baffe.

Maman doit maintenant retenir papa de toutes ses forces. C'est alors que je vois les gyrophares rouges et bleus de l'autopatrouille éclairer le ciel. La sirène brise la dispute. M se calme instantanément. Son illégalité au Québec ne lui permet pas de s'emporter devant les policiers. Mes parents n'en savent rien et pensent simplement qu'il a la trouille de se faire arrêter. Papa recule et reprend son souffle.

Les policiers, une femme et un homme, sortent du véhicule et se dirigent vers nous. Le taxi repart, le chauffeur ne voulant probablement pas être mêlé à cette histoire. La policière nous demande de lui expliquer le contexte de la dispute et c'est papa qui prend la parole, mentionnant que sa fille ne peut repartir avec cet homme qui la violente sans cesse. M rit aux éclats.

— C'est ma femme, je suis venu la chercher. Ses parents la gardent en otage contre son gré.

Après un va-et-vient d'insultes, les policiers expliquent à mes parents que, légalement, c'est à moi de choisir. Merde. Je suis dans la merde. Je sais que la bonne chose à faire est de rester chez eux, en sécurité, mais je n'ai pas la force de le dire. Je n'ai pas le courage de défier M, lui qui a payé un taxi de la grande ville jusqu'ici, lui qui s'est confondu en excuses et qui s'est humilié à m'envoyer des chansons et des mots d'amour. Je ne peux pas.

— Je repars avec mon mari.

Ma mère pousse un cri de désespoir et mon père est atterré.

— C'est vraiment ce que tu veux, ma Sophie ?

Ils essaient de me faire entendre raison, mais M me tient fermement contre lui et les policiers n'ont d'autre choix que de demander à mes parents de retourner dans la maison. Mon père, dans l'urgence, essaie par tous les moyens de faire changer les officiers d'idée, mais il n'a aucune chance. Je suis majeure et ma décision doit être respectée. Les policiers nous offrent de nous reconduire jusqu'à la station de bus, laquelle se trouve à quinze minutes en voiture, et nous acceptons. Silencieusement, à l'encontre de la voix de la petite Sophie qui essaie de se frayer un chemin jusqu'à ma raison, je m'assois sur la banquette arrière de la voiture et nous partons. Mon père est dévasté. La tête basse, je le vois éclater en sanglots. Ses épaules tremblent et maman le prend dans ses bras, en pleurant elle aussi.

M me tient fermement la main et m'embrasse sur le haut de la tête.

Nous prenons ensuite l'autobus qui nous amènera chez Chafik. La frustration de M est tangible. Je repose ma tête sur son épaule et je plonge ma main dans la sienne, qu'il retire aussitôt.

— Tu aurais mieux fait de rester chez tes parents. Je ne te pardonnerai jamais de m'avoir quitté.

— Mais, mon amour, nous sommes ensemble maintenant…

— Je ne peux pas passer par-dessus ta trahison. Je n'aurais jamais dû venir te chercher.

Sous le choc, je riposte et je tente de le persuader du contraire, mais M est intransigeant. Il regrette, lui qui ne regrette jamais rien. Je suis de nouveau une pute à ses yeux. Une femme arabe n'aurait jamais quitté son homme ainsi, donc je serai toujours une putain québécoise.

— Demain, tu repars chez ton connard de père.

Lorsque nous arrivons chez Chafik, il est tard. Après avoir fumé un joint, M se couche immédiatement et s'endort aussitôt. Moi qui rêvais d'une lune de miel, je suis bien servie. Je ne dors pas de la nuit, ressassant les images de ma mère et de mon père, dévastés et si tristes. Je prie pour que M retrouve la raison après une bonne nuit de sommeil, mais non, sa colère a décuplé. En ce mercredi matin, au lever, il m'agrippe par le bras, enfonçant ses doigts dans ma chair, et il me jette à la rue avec mon sac en m'insultant à nouveau et en me frappant à coups de pied sur les tibias. Je l'ai trahi, il a été humilié devant son entourage, je dois m'en aller.

Mon arrêt de travail étant terminé, je prends le bus puis le métro et, morte de fatigue et de douleur, je remets mon masque et je fais du mieux que je peux pour passer au travers de la journée. À l'heure du midi, je me confie à ma patronne, qui s'inquiétait de mon absence des derniers jours. Elle est désormais au courant. En réalité, elle se doutait bien des épreuves difficiles que je traversais, je n'étais pas si bonne pour cacher mes marques et mes bleus, finalement. Je suis embarrassée. Embarrassée de ne plus avoir d'appartement, d'avoir trahi mes parents, de les avoir humiliés devant les voisins, d'être partie avec la police et, surtout, de devoir appeler à l'aide mon papa pour lui demander de venir me chercher à la fin de ma journée. Je suis une loque humaine.

De plus, mon téléavertisseur vibre sans cesse depuis ce matin. C'est M. Le premier message est doux et gentil, le deuxième me presse de l'appeler chez Chafik, le troisième m'ordonne de le rappeler, et ainsi de suite. Il panique et vocifère des mots d'horreur sur mon téléavertisseur. Je prends le combiné et, dès qu'il répond, je prononce mon verdict :

— C'est fini.

Et je raccroche. Je ferme aussitôt mon télé-avertisseur et le jette au fond de mon sac à main. Je ne veux plus entendre la voix de M, je ne veux plus recevoir ses messages trompeurs, je suis vidée, épuisée et au bord de la dépression. Tout ce que je veux, c'est être enterrée six pieds sous terre et y rester à jamais. L'après-midi passe lentement et difficilement. J'essaie d'avancer dans mes dossiers, mais la concentration n'est pas au rendez-vous, ce qui m'oblige à relire maintes fois la même page. Je regarde les heures passer. Je compte les minutes. Il est presque 17 heures et mon papa, que j'ai alerté plus tôt, devrait arriver incessamment.

Bernard, mon collègue, entre en trombe dans mon bureau, situé près de la porte d'entrée. Nous sommes plusieurs employés à partager ce lieu, chacun dans nos cubicules respectifs, et Bernard est mon voisin immédiat. Il m'a probablement entendue à plusieurs reprises pleurer et négocier avec mon M au téléphone, mais Bernard étant un homme extrêmement discret, il n'a jamais posé de questions sur ma vie privée, mes amours, ma famille. Il m'écrivait simplement de petites citations réconfortantes sur des *post-it* qu'il laissait parfois sur l'écran de mon ordinateur.

Bernard s'approche de moi et, hâtivement, me dit que M est à la réception. Mon sang se glace. Il est venu me reprendre, accompagné de deux de ses amis, sur mon lieu de travail, le seul endroit qui est à moi et qui ne lui appartient pas. Je tremble de la tête aux pieds. J'appréhende la crise devant tous mes collègues et, surtout, je redoute l'humiliation devant ceux avec qui je partage mon quotidien. Ici, c'est mon endroit de répit, là où je m'évade en faisant semblant que tout va bien et que mon M est l'homme de ma vie. Ici, je suis la jeune mariée qui entame une possible carrière.

À la hâte, je supplie Bernard de dire à mon mari que j'ai déjà quitté le bureau et qu'il ne sait ni où je suis, ni quand je suis partie, ni même comment ou avec qui. Je ne fais pas que trembler, je suis totalement apeurée et je sens l'étau se resserrer. Vite, je dois me cacher. À la demande de Bernard, qui, du coup, a enfilé sa cape de Superman, mes collègues se mobilisent afin de m'entourer, telle une équipe de football prête à l'attaque. Je suis mortifiée au centre de ce cercle étanche et je me cache derrière eux du mieux que je peux. J'entends les échos d'une querelle. La voix de M sort du lot. Il est hors de lui. J'ai tellement peur que son poing rencontre le visage de Bernard ou celui d'un des employés qui l'accompagne. Apparemment, un chien qui jappe fort ne mord pas. M jappe toujours fort, mais, heureusement, il n'ose lever les poings que sur moi.

Bernard et les hommes du bureau l'escortent jusqu'à l'extérieur du bâtiment en le menaçant d'appeler la police s'il ne déguerpit pas. Il part. Je ne vois plus clair, je ne fais que grelotter et espérer que mon papa arrivera incessamment. Je suis accroupie par terre, derrière un bureau, et un nombre impressionnant de collègues me cachent jusqu'à ce que Bernard et ses alliés nous rejoignent. Mon collègue s'approche de moi. J'ai froid. Si froid. Doucement, il me demande de l'accompagner vers l'arrière de l'immeuble. Il a téléphoné à mon père grâce à ma fiche d'employée, qui indique que c'est lui qu'il faut appeler en cas d'urgence. Papa m'attend donc dans le véhicule en marche, tout près de la sortie d'urgence, à l'arrière de l'immeuble.

Je me jette dans la voiture, qui quitte rapidement les lieux, et je m'allonge à plat ventre sur la banquette arrière. M ne nous a pas vus. Je suis hors de danger. Nous roulons depuis de longues minutes quand, finalement, papa s'arrête sur le bord de la route. Je peux maintenant me relever. À la vue de mon père, j'éclate en sanglots et je laisse la tension retomber en versant des larmes intarissables. Je prends place sur le siège avant à ses côtés et je me blottis dans ses bras. Il m'offre toute sa tendresse. Son parfum m'enveloppe, son sourire m'apaise et sa force tranquille me sécurise. Papa ne parle pas beaucoup, ce n'est pas nécessaire. Entre nous, quelques simples mots trouvent leur chemin vers mon âme, mais je peux tout de même ressentir le volcan d'émotions brûler l'intérieur de son corps. Je pensais que nous reprendrions la route vers mon chez-moi, vers mes paisibles montagnes de banlieue où ma douce maman attend fébrilement notre retour, mais une tout autre destination m'attend.

À BOUT DE SOUFFLE

Le psychologue que mes parents consultent depuis mon départ de la maison leur a fortement suggéré de m'amener dans un centre de femmes battues. Mes parents connaissent désormais certains sévices que mon agresseur me fait subir. Les cicatrices et les ecchymoses qui ornent mes avant-bras me trahissent et mes mensonges ne tiennent plus la route.

Aujourd'hui, si ma petite sœur arborait de tels hématomes, je traînerais son agresseur jusqu'au poste de police le plus proche en plantant un revolver sur sa tempe.

Mon papa d'amour m'a donc gentiment emmenée dans ce centre, espérant désespérément y trouver de l'aide. Les cicatrices sur mon corps discréditant mon discours, à bout de souffle, j'abdique malgré ma réticence : je ne suis pas comme les femmes battues de ce centre. Je les juge et je suis persuadée que ma situation n'a rien à voir avec la leur. Pourtant…

56894. C'est le code qui a été donné à mon père pour accéder à l'immeuble pour femmes dans le besoin. Blasée, désabusée et exténuée après ces derniers jours exécrables, je le suis avec la certitude que je comprends le processus :

1. réussir à amener la victime dans un centre ;
2. la *brainwasher* ;
3. la garder captive ;
4. emprisonner son agresseur.

Bref, je débarque là blindée, sachant pertinemment que ce n'est pas ma place. Je veux peut-être juste plaire à mon père, n'ayant pas la force de me battre contre sa volonté.

Lorsque nous entrons, nous sommes accueillis par une dame d'une quarantaine d'années, qui attendait notre arrivée. Elle nous fait traverser des couloirs, qui sont possiblement les dortoirs de femmes violentées. *Hors de question que je dorme ici*, me dis-je. J'en croise quelques-unes, les cheveux ébouriffés, le regard livide et vêtues de chemises à carreaux ou de t-shirts aux imprimés de loups qui ont capitulé sous les crocs de leurs assaillants. Et d'autres, beaucoup plus soignées, qui font tomber tous les stéréotypes de femmes battues. Nous entrons dans une pièce qui me rappelle les salles de classe de mon secondaire. Un tableau vert décore le mur du fond et des chaises ainsi que des pupitres sont alignés en rang d'oignons.

La femme, Louise, se présente à nous en tant que thérapeute et me demande si je comprends les raisons de ma venue. Je lui réponds que je n'ai rien à faire ici, avec les autres femmes, et que personne ne comprend ma situation. Louise esquisse un sourire entendu et me répond gentiment que nous avons toutes le même discours à notre arrivée au centre.

Papa, je suffoque. Ramène-moi à la maison. Je veux me rouler en boule dans la chambre de la petite Sophie et m'endormir sous des draps pesants. Au tableau, elle dessine un immense cercle : le cercle des phases, les cycles. Dans une relation de violence conjugale, il y a tout d'abord la première phase. Celle où il existe un climat de tension, pendant laquelle l'agresseur a des accès de colère et menace par le regard. La victime, de son côté, se sent coupable, marche sur des œufs et fait attention à ses gestes et à ses paroles.

Ensuite viennent les crises où l'agresseur violente sa conjointe verbalement, physiquement et sexuellement. La femme se sent alors humiliée et un sentiment d'injustice l'envahit. Par la suite, l'agresseur tente de justifier ses actes à l'aide d'excuses fabriquées. La victime comprend ses explications et s'excuse à son tour. La dernière phase du cycle est la lune de miel. L'agresseur demande alors pardon, parle de thérapie et même de suicide. La victime se sent alors aimée, elle lui donne une nouvelle chance et constate les efforts qu'il fait pour changer.

Silence… Je sais au fond de mon cœur que ces cycles sont présents dans ma vie, au quotidien, chaque jour. Je survis grâce aux lunes de miel, que j'attends toujours impatiemment. C'est si bon. Et chaque fois que le cycle recommence, je me dis que c'est la dernière fois et qu'il aura compris.

Les étapes expliquées par Louise sont cruciales dans la compréhension du cheminement d'une personne battue, violentée, diminuée, abusée, qu'il s'agisse d'une femme ou d'un homme. Mais moi, je ne suis pas ces femmes ni ces hommes. Mon

M se fâche, certes, mais c'est à raison et non à tort. Louise me demande si je désire rester ici pour la nuit afin de reprendre mon souffle et de participer aux différents ateliers donnés le soir même, d'échanger avec les femmes et de raconter mon histoire. Non. Je rentre à la maison.

Depuis, j'essaie de comprendre ces monstres qui ont tous les mêmes traits de personnalité. Qu'ils soient chinois, français, arabes, brésiliens ou québécois, peu importe leurs héritages, ils ont des points si communs que c'est à se demander s'ils s'appellent pour discuter de leurs méthodes de manipulation. Ont-ils signé un accord, une alliance secrète ? Font-ils partie d'un réseau clandestin ?

Il existe trente points, trente critères, selon Isabelle Nazare-Aga, auteure qui m'a tant éclairée sur cette maladie qu'est la manipulation. Mon Monstre, il les avait tous… J'ai coché un à un ces critères et j'ai remercié le ciel d'être toujours en vie.

Un puits sans fond

Papa sent le besoin de parler à son tour. Dans le bureau de Me Savoie, on complète ma déposition.

« Sur le chemin du retour, Sophie s'endort sur le siège du passager. Des sursauts s'emparent de son corps fragile. L'anxiété et l'angoisse se ressentent dans son sommeil agité. Je la transporte jusqu'à sa chambre et je la regarde longuement dormir.

« Les jours suivants, nous essayons de consoler Sophie et de lui redonner des forces, mais durant tout ce temps M laisse dix-huit à vingt messages par jour sur son téléavertisseur, selon ce que Sophie nous raconte, sans compter les appels directement à la maison. Nous ne répondons plus au téléphone malgré l'afficheur, car M appelle de divers endroits et nous ne voulons pas prendre le risque de tomber sur lui ou sur un de ses amis. Apparemment, en si peu de temps, il a compris beaucoup de choses et nous demande de lui laisser une chance de prouver qu'il a changé. Il a commencé à prier, il a arrêté de fumer la cigarette et de consommer de la drogue. Il nous implore de revoir sa femme et nous jure qu'il n'est plus le même.

«M est un charmeur, mais aussi un homme contrôlant, un manipulateur et un agresseur de femmes. Sophie, à notre ultime désespoir, accepte de le revoir la semaine suivante, le vendredi 15 mars en soirée, nous promettant de rencontrer le psychologue avec nous le lendemain, le samedi à midi. Nous n'aurons aucun appel… Aucun signe de vie. J'ai laissé ma fille partir à nouveau, sans savoir comment la retenir. Je croyais à mon tour qu'elle avait compris beaucoup de choses puisque j'avais l'impression qu'elle avait atteint le fond du puits. Malheureusement, il était beaucoup plus creux que la norme, ce puits. Un puits sans fond, je le crains.»

VOULOIR Y CROIRE

J'ai peur de le revoir, mais une force me pousse à accepter sa demande. J'ai besoin de constater par moi-même si, cette fois, il a vraiment compris et s'il est prêt à changer selon mes règles. Je me suis blindée : il y a des limites qu'il ne pourra plus jamais franchir et je compte bien les lui imposer.

Vendredi 15 mars. Nos retrouvailles sont majestueuses, à la hauteur de ce dont je rêvais depuis un bon moment. Dès qu'il m'aperçoit sortir du métro, M accourt vers moi et me soulève en me faisant tourbillonner dans les airs. Mes jambes enlacent sa taille et je m'agrippe à lui alors qu'il me serre longuement dans ses bras, la tête enfouie dans mon cou. Il pleure, il me respire, il m'embrasse à n'en plus finir et s'accroche à mon âme pour y jeter son ancre. Mon cœur bat la chamade. Le revoir ainsi, rempli d'amour et de désir, efface pendant quelques secondes la peur, les doutes, la souffrance. Je ne veux plus jamais le quitter. Mon prince, mon M, mon mari.

Main dans la main, nous marchons vers un petit restaurant du quartier. M a tant de choses à me dire. Nous nous assoyons côte à côte. Il me prend par la taille, m'attirant contre lui de sa main gauche et tenant le menu de sa droite. Il commande rapidement pour nous, sans que je pose le regard sur le menu. J'aime cette élégance et ce côté mâle européen.

M se tourne vers moi et me prend la main sans relâcher son étreinte. Il est excité comme un petit garçon et la fougue enflamme son regard. Alors voilà, il a énormément réfléchi et il ne veut plus vivre comme avant. Nous ne sommes pas en Afrique, il a mal agi et il veut regagner ma confiance. La douleur est trop vive et il ne supporterait pas que je le quitte à nouveau. Il a passé les deux dernières semaines à la mosquée, où il a longuement discuté avec son nouvel ami, Hakim, récemment arrivé au pays. Hakim est un musulman pratiquant et de longues conversations avec lui ont amené M à la conclusion qu'il était grand temps que la prière fasse partie intégrante de sa vie. Les jeunes de son quartier commencent habituellement à prier lorsqu'ils fondent une famille et deviennent des adultes sérieux. M ne peut plus attendre. Il a une femme maintenant et, depuis notre mariage, il aurait dû vivre selon les règles du Coran. Il n'est pas trop tard, son processus est déjà entamé et il prie désormais cinq fois par jour. Il a d'ailleurs bien hâte de m'apprendre la prière et d'honorer ce rituel en ma compagnie.

Il doit aussi glorifier sa femme et trouver un travail afin de la nourrir, de la loger. Il ne peut plus décider de mon habillement ni m'enlever le droit de côtoyer mes anciennes amies et ma famille, car, en m'enseignant la prière et l'islam, il m'apprendra à faire mes propres choix et il est persuadé que mes décisions seront en accord avec les règles de sa religion. Je peux donc retourner aux études, m'habiller comme je le désire, voir mes amies, mais aussi étudier l'islam et ainsi comprendre ce qui est malsain pour l'après-vie.

M a décidé de changer du tout au tout. Je l'écoute parler, étourdie par ce revirement de situation. M attend mes commentaires et ne tient plus en place, excité par ce nouveau départ et cette nouvelle vie. Son énergie me fait sourire et, ne voulant aucunement gâcher ce bon et doux moment, j'accepte.

La serveuse dépose le repas sur la table et je mange avec appétit en écoutant M me raconter l'islam et ce qu'il a appris à la mosquée. Je remarque que ses yeux ne se posent pas sur la serveuse, pourtant très jolie. Il me regarde, moi, et je me sens à nouveau sa femme.

Nous dormons chez Chafik qui, à mon soulagement, n'est pas présent. M me fait l'amour d'une tout autre façon ce soir-là. Il me goûte, me désire, me trouve belle, me regarde et me prend doucement, tendrement, sans violence ni brutalité. C'est si bon de retrouver l'homme qui a volé mon cœur au sommet du plus haut immeuble de Montréal. Au réveil, M me prépare un café au lait, qu'il m'apporte jusqu'au lit. Je lui souris affectueusement, le remerciant pour ce geste qui veut tant dire pour moi. J'oublie donc volontairement mon rendez-vous chez le psychologue et nous marchons vers le cinéma en ce samedi pluvieux. Je ne suis pas allée au cinéma depuis des lunes et ce rendez-vous amoureux fait chavirer mon cœur dans la bonne direction. Je me pince. Sommes-nous réellement en train de vivre un nouveau départ ? Est-ce que je me réveille d'un long cauchemar ? J'éteins mon téléavertisseur et je le cache au fond de mon sac. Rien ne perturbera ma lune de miel, ni même la culpabilité que j'éprouve envers mes parents. Nous allons ensuite dévaliser un magasin afin de m'acheter une nouvelle garde-robe en profitant des soldes. Je n'avais rien apporté hier soir, pas même ma brosse à dents, alors M, poursuivant sa lancée, me fait essayer différentes fringues dans lesquelles je me sens femme, belle et libre surtout. Des vêtements qui ressemblent à ceux que je portais il y a déjà trop longtemps de cela.

M m'apprend que Hakim aimerait nous recevoir à souper chez lui. Sa femme propose d'ailleurs de nous préparer un délicieux couscous, me mentionne M, fier de lui. Hakim et Amel possèdent un petit appartement près de chez Chafik, dans un des quartiers les plus multiculturels de Montréal, et, lorsque Hakim ouvre la porte, l'odeur du couscous m'enivre sur-le-champ.

J'ai pris soin de mettre un chandail à col roulé par respect envers Hakim et sa femme, sachant très bien qu'ils sont de fervents pratiquants de l'islam. Après une poignée de main entre M et Hakim, les deux hommes se dirigent vers le salon et, de mon côté, je migre vers la cuisine où se trouve Amel. Elle est loin d'être la plus sympathique des femmes et son regard sous son monosourcil n'est pas franc. Je me méfie aussitôt de cette femme qui ne m'inspire pas confiance. Elle termine la préparation du repas et je mets moi aussi la main à la pâte, retrouvant la même ambiance que celle qui régnait lorsque j'habitais en Afrique. Sauf que, ce soir, ils font tous un effort pour parler en français malgré mon arabe qui s'est drôlement amélioré au fil des mois. La discussion tourne rapidement autour de la politique et de l'islam. Hakim m'enseigne quelques rudiments de base et je suis éblouie par la véracité de ses propos. J'écoute attentivement, buvant ses paroles et, du coup, je réalise que M écoute aussi. Je ne l'avais jamais vu mettre de côté son ego ni apprendre quoi que ce soit venant de quelqu'un d'autre. Hakim doit être vraiment spécial pour que M le laisse monopoliser l'attention de cette façon.

Nous rentrons tard cette nuit-là et j'ai la tête remplie d'informations. Je me fais un devoir d'étudier plus en profondeur cette religion fascinante. J'observe M faire la prière. J'aurais bien aimé tenter l'expérience avec lui. Ça viendra…

Nous nous endormons blottis l'un contre l'autre dans la fusion la plus totale. Mon téléavertisseur est probablement rempli de messages, mais je chasse cette pensée de ma tête.

Je ne suis jamais retournée au boulot. Comment aurais-je pu affronter mes collègues et leur mentionner que je suis à nouveau avec M alors qu'ils m'ont tous protégée de lui ? Surtout, de quelle façon pourrais-je faire comprendre à M que je retourne travailler avec ceux qui l'ont escorté jusqu'à la sortie ? Je n'ose même pas aborder le sujet. Je ne donnerai plus jamais de mes nouvelles à mes ex-patrons et je glisse dans un tiroir, loin dans mon cerveau, ces moments passés là-bas. Je ferme le tout à double tour et j'avance sur ma nouvelle route.

Au cours de la semaine, je teste ma vie en appliquant les nouvelles règles établies, mais je me rends vite compte que M contient difficilement sa colère lorsque je m'habille avec mes nouveaux vêtements ou que je sors sans lui pour prendre un café avec une amie de longue date que je n'ai pas vue depuis trop longtemps. Cette nouvelle liberté m'étourdit, mais je tiens mon bout, ne voulant plus jamais retourner en arrière. M fait des efforts de son côté et, grâce à une connaissance, il se trouve un emploi de nuit dans une usine de l'arrondissement Saint-Laurent qui engage des travailleurs illégaux pour travailler de 21 heures à 7 heures.

Ce vendredi matin, après une nuit de travail à la chaîne, il revient enragé, à bout de nerfs, fatigué, et lorsqu'il passe la porte de l'appartement de Chafik, il est déchaîné. Je me réveille en sursaut lorsque la porte claque et que je vois mon M lancer son sac à dos à l'autre bout de la pièce, en ma direction.

— Un visage comme le mien ne travaille pas illégalement dans une usine pour cinq dollars de l'heure, rage-t-il.

Je tire les couvertures vers moi et je m'assois dans le lit, prête à une éventuelle attaque. Le volcan qui était tranquille depuis le début de la semaine fait éruption. M n'arrive plus à se contenir et il s'élance vers moi, arrachant les couvertures que je tiens fermement près de mon corps. Il me tire par le bras et je tombe en bas du lit, décontenancée. Je ballotte au bout de sa main alors qu'il me traîne vers le milieu de la pièce.

— C'est de ta faute tout ça !

J'essaie de me relever et de faire face au démon qui, à nouveau, prend possession de son âme.

— Tu as vu mes mains ?

M avance sa main libre tout près de mon visage. Elle est éraflée et gercée à cause du travail manuel qu'il doit exécuter heure après heure à l'usine. Ma bouche est sèche et je crains la suite des événements. Haletante et morte de peur, je réussis à prononcer quelques mots.

— Calme-toi, M. Viens te coucher.

— Me calmer ?

Sa main me tord le bras, il m'agrippe par les cheveux et me crache au visage en me traitant de sale putain. Il relâche son emprise et me pousse de toutes ses forces vers l'arrière. Je tombe sur le sol et j'essaie de me relever aussitôt, mais M s'avance vers moi, me repoussant violemment sur le parquet du salon. Mes avant-bras se replient sur mon visage, redoutant sa violence. Ma respiration est saccadée. Il m'empoigne les avant-bras et me relève en un mouvement pour me mettre debout devant lui. Il baisse alors mes bras, que je tenais fermement devant mon visage, et m'assène un coup de poing, un crochet direct sur ma joue droite qui me fait chanceler. Un bruit sourd envahit mon cerveau et un goût de sang infeste ma bouche. Un filet rouge coule de ma lèvre inférieure jusque sur mon menton. Abasourdie et sonnée, je le regarde reculer de quelques pas. M se recroqueville sur le sol et reprend son souffle, pris au dépourvu par sa brutalité. Il est trop tard.

Un lourd silence prend place dans ce petit matin. Je ramasse mon sac à main et mes vêtements de la veille, que j'avais laissés sur le sofa. Dans un calme absolu, les larmes tombant de mes yeux, je prends mes souliers et je quitte l'appartement. M ne tente pas de me retenir. Je descends les étages jusqu'à la porte de sortie, j'enfile mes chaussures et je dévale la rue, en pyjama, jusqu'au café ouvert jour et nuit. L'entrée arrière mène directement à la salle de bain, où je m'enferme dans une cabine avant d'éclater en sanglots. Torturée par mes sentiments épars et la joue meurtrie, je reste cloîtrée dans la cabine, grelottant de tous mes membres. Notre entente aura à peine duré une semaine. Une semaine de trop dans ma jeune vie. J'espère que c'est la fin de notre relation et je prie de tout mon cœur pour trouver la façon de le quitter pour de bon. Je revêts mes vêtements de la veille et j'enfouis mon pyjama dans mon sac à main. En me regardant dans le miroir, j'essuie mon visage ainsi que le sang sur mon menton. La petite fille du reflet me regarde à nouveau, intensément, douloureusement. *Sois forte*, lui dis-je, *ça suffit maintenant*. Je prends le bus et le métro pour me rendre au bureau de mon papa. *C'est fini maintenant, papa, je le quitte pour toujours.*

Quitte-moi,
petit monstre

J'essaie de survivre, mais mes nerfs sont à bout. Je suis faible physiquement et psychologiquement. Depuis des mois, mon agresseur a mis de l'avant mes défauts, mes faux pas. Il a détruit toute estime en moi en me dévalorisant jour après jour, en m'humiliant sexuellement, en me rabaissant devant les autres. Je ne crois plus ni en mes capacités ni en mes talents. Je suis d'une race inférieure à la sienne. Je n'ose plus parler aux gens ni les regarder dans les yeux. Ma tête demeure baissée et la relever me demande un effort surhumain.

Malgré ces moments difficiles, je suis sur un vol vers San Miguel del Padrón, une ville tout près de La Havane où réside ma grande amie Martine. Mes parents ont communiqué avec elle et m'ont généreusement offert ce voyage de dix jours afin que je prenne une réelle pause du harcèlement constant de M, qui a recommencé à laisser une vingtaine de messages tous les jours autant sur le répondeur de la maison que sur mon télé-avertisseur. À Cuba, je n'aurai aucun contact avec lui et je ne pourrai succomber à ses mots doux. Je suis d'accord avec mes parents, fuir dans un autre pays pour quelque temps me redonnera des forces pour affronter les semaines à venir et laisser le temps à M de se lasser de moi, et moi peut-être de lui. J'ai le cœur en miettes à l'idée qu'il cesse de m'aimer et qu'il me remplace par une autre qui, elle, saura peut-être mieux que moi le combler et faire taire le diable en lui. Maman m'a demandé mon code de téléavertisseur afin de mettre fin à mon contrat et de faire changer mon numéro, mais je ne suis pas encore rendue à cette étape, ni dans mon cheminement ni dans mon sevrage. Le fait de quitter le pays et de ne plus entendre la voix de M m'implorant de revenir m'en demande déjà beaucoup, alors je promets à ma mère de le faire à mon retour. Ici et maintenant, je ne suis pas prête.

Ces dix jours sous le soleil dans ce pays chaud me fortifient. Je me fais même courtiser par un sublime homme du coin, Leandro, qui fréquente la même université que Martine. Mon amie et moi prenons un bus nous menant au bord de la mer ; elle a pris quelques jours de congé de l'université afin que nous puissions nous prélasser sur la plage et nous raconter respectivement nos vies. Elle a l'oreille attentive et m'écoute religieusement lui dépeindre en détail ma vie avec M. Je ne l'épargne pas et je lui raconte tout, sans censure. Elle me fait un bien fou, mais constamment je pense à M, à ce qu'il fait, me demandant s'il m'a oubliée ou s'il pense encore à moi. J'écris beaucoup au bord de la mer et j'essaie d'extirper le petit diable qui se réveille dans ma tête.

Qui est ce démon qui dort dans ma tête ?
Comment arrêter l'obsession ?
J'ai besoin qu'on m'arrête.
J'ai besoin de menottes aux poignets.
J'ai besoin d'un répit, car la bataille n'en finit plus.
Quitte-moi, petit monstre.
Laisse-moi vivre en paix.
Laisse-moi souffler un peu.
Je me suis assez battue.
J'ai envie de m'aimer et de me laisser aller.
Je ne veux plus me détester ni me haïr chaque matin.
Il y a autre chose que toi, petit diable.
Je veux pouvoir m'assoupir moi aussi.
Je veux penser à autre chose et m'ouvrir les yeux.
Je veux m'endormir et ne plus avoir à te combattre.
Quitte-moi, petit monstre, je te le demande si gentiment…

Il est déjà temps de dire au revoir à mon amie d'amour, que je ne reverrai pas de sitôt. Martine s'en veut terriblement de ne pas être à mes côtés, d'habiter si loin de moi et de ne pas pouvoir me soutenir. *C'est la vie, ma chère Martine, ne t'inquiète pas.* Graduellement, je retrouve une force qui s'était évadée de mon corps. Je retrouve un semblant d'estime de moi et je me trouve un peu plus belle en dedans. Leandro a joué un rôle important dans mon processus de reconstruction et je l'en remercie grandement. Sur le vol du retour, mon cœur recommence à battre de plus en plus vite, de plus en plus fort. J'étais si bien dans ma fuite.

Aujourd'hui, lorsqu'un événement de ma vie me fait souffrir, j'ai tendance à vouloir fuir, déguerpir et ériger un mur autour de moi. Pourtant, j'ai appris que la fuite n'est pas le bon remède au mal et, encore aujourd'hui, je tente de me battre contre cette envie de détaler. J'essaie de reprogrammer mon être afin de réussir à arrêter de courir et à affronter mes émotions.

Le même sort que d'habitude m'est réservé à l'aéroport. Je vois les portes coulissantes qui s'ouvrent sur mes parents, qui m'attendent de l'autre côté, et je dois bifurquer vers la salle des fouilles, où les douaniers vident le contenu de ma valise sans finesse.

Lorsque je retrouve enfin papa et maman, je remarque immédiatement leur anxiété et je trouve étrange qu'ils me pressent de me diriger vers la voiture. Je sens que quelque chose ne va pas et leur semblant de bonne humeur m'horripile. Je vois bien les regards qu'ils s'échangent et je déteste qu'on ne me dise pas la vérité, qu'on me fasse douter de mon intuition. Sur le chemin du retour, je leur raconte brièvement mon voyage, sans entrer dans les détails, parlant plutôt du beau temps et de Martine, qui se porte très bien. Finalement, je n'en peux plus, je les questionne sur leur attitude bizarroïde.

Mes parents se consultent du regard, puis ma mère pousse un long soupir et me raconte tout.

— Depuis ton départ, M a appelé vingt fois par jour. Nous le soupçonnons d'avoir épié la maison, guettant tes allées et venues, et, ne te voyant pas, il a exigé de savoir où tu étais. Nous ne lui avons bien sûr rien dit, nous n'avons même pas répondu à ses appels téléphoniques. Il nous a laissé des messages dans lesquels il se lamente et nous demande pardon. Il a même voulu nous rencontrer afin de nous expliquer son cheminement. J'ai finalement pris le téléphone pour lui dire de cesser de nous harceler, qu'il avait eu toutes ses chances, qu'il avait fait ses choix et que nous voulions qu'il nous laisse tranquilles. C'est à ce moment qu'il nous a menacés de mort. Il a aussi appelé ta grand-mère chez elle pour la menacer de la tuer si elle ne lui disait pas où tu te trouvais. Il a finalement su que tu étais en voyage et nous a laissé un message nous disant qu'il allait nous défier, qu'il t'attendrait jour et nuit à l'aéroport et qu'il allait nous détruire à petit feu. Tu comprends donc notre inquiétude de tout à l'heure.

Une petite voix à l'intérieur de moi savoure ces mots : il m'aime et me désire encore. Par contre, une autre voix est dégoûtée par les menaces proférées à mes parents et à ma grand-mère.

— Nous aimerions que tu changes ton numéro de téléavertisseur, Sophie, et que tu n'écoutes pas les messages qui s'y trouvent. Nous n'avons plus de larmes à pleurer. Ni tes sœurs, ni tes grands-parents, ni tes amis.

J'acquiesce, sachant très bien que, dès mon arrivée à la maison, je me jetterai sur le téléphone et me connecterai à sa voix. C'est plus fort que moi, je n'y peux rien, je n'ai pas encore atteint le fond de l'abysse.

ADIEU, MA SŒUR

Avril 2002. Je suis revenue de Cuba depuis plus d'une semaine maintenant et je sombre dans une dépression profonde. Je préfère mourir sous sa violence plutôt que seule d'un amour inachevé.

Je renoue avec quelques amies et je tente désespérément de reprendre le cours de ma vie. Mais je constate que je suis changée à jamais. Je reprends contact avec mon agente artistique, qui est heureuse d'avoir à nouveau de mes nouvelles et de pouvoir me suggérer différents projets, mais ma joie de vivre a disparu, ainsi que mon innocence. Je passe mes journées dans ma chambre à broyer du noir et à écouter les messages de M, qui me raconte sa vie sans savoir si je reçois ses paroles. Je suis constamment en colère, ne sachant comment gérer mes émotions et mon déséquilibre devant cette nouvelle liberté grisante. Un plan se concrétise dans ma tête, et je sais que je ne pourrai supporter bien longtemps ce manque qui m'habite et qui grandit dans le creux de mon ventre. Le manque d'amour, la dépendance affective, être aimée à n'importe quel prix, même au prix de ma vie.

Il fait terriblement chaud en cette journée d'avril et j'ai rendez-vous pour le lunch avec Victoria, ma sœur aînée, qui m'a demandé si gentiment de prendre un peu de mon temps pour passer un moment avec elle et ainsi tenter de reconstruire les liens qui se sont effrités depuis que je suis partie en Afrique. Elle a tant de choses à me dire, à me raconter, à partager avec moi. Elle a besoin que je sache comment elle a vécu les derniers mois et à quel point elle est fière de mon retour à la maison et de la détermination que je mets à guérir de mon mal de vivre.

Ma maison se trouvant dans la montagne, je prends mon temps pour descendre à pied les nombreuses côtes qui mènent à l'arrêt d'autobus. Je peux ainsi humer le doux parfum printanier et remplir mes yeux des magnifiques vergers qui produiront des fruits à l'automne. Je ferme les yeux en marchant, levant mon visage vers le soleil, et je me laisse pénétrer par cette énergie solaire. C'est un doux moment que je m'offre, comme si je me préparais à ne plus ressentir cette liberté d'être. Comme si je disais adieu à la lumière et à la clarté, un au revoir aux montagnes avant de m'enfoncer dans une grotte sombre, humide, où seul l'écho du mal résonne.

Je saute juste à temps dans le bus et je me laisse bercer par la route qui longe les champs, jusqu'à l'arrêt qui me fait sortir de ma flânerie.

Ma grande sœur m'attend au restaurant du coin. Nous commandons chacune le classique de la place : quart de poulet, sauce brune et frites. Pendant mes absences, ma sœur a acquis une toute nouvelle maturité. Je la retrouve resplendissante et changée. Une femme d'affaires s'est installée en elle. Elle porte un tailleur et des talons hauts qui rehaussent sa féminité. Je la trouve belle et femme. Elle est posée et semble sereine. Nous n'avons qu'une petite heure avant son retour au boulot, alors elle s'empresse de me demander comment je tiens le coup et comment je m'en sors. Victoria n'habite plus à la maison depuis plusieurs mois et je ne l'avais revue que lors de mon passage à Noël ainsi que lors du déménagement. Elle m'a manqué et nos différends d'adolescentes semblent avoir disparu. C'est une toute nouvelle sœur qui se tient devant moi, me racontant à son tour à quel point elle est heureuse avec Mathieu et que son emploi chez Bombardier la comble. Je l'observe, je l'écoute et je bois ses paroles, ne sachant pas quand je la reverrai.

Le temps file si rapidement, nous constatons qu'il est déjà temps de nous quitter. Je lui demande si elle peut prendre quinze minutes de plus afin de m'emmener directement au métro. Je vais dormir chez mon amie Séverine ce soir, ce qui explique mon sac à dos rempli de vêtements, et je n'ai pas envie de reprendre une fois de plus le bus. Mensonge. Ma sœur est aussi sorcière que ma mère, et un signal d'alarme retentit en elle. Elle s'en veut encore aujourd'hui de ne pas l'avoir écouté. Victoria me fait promettre que je dis la vérité et, dans un éclat de rire, je lui mentionne que je ne suis plus une petite fille, que je ne lui mentirais jamais. Elle me conduit donc jusqu'à la station de métro la plus proche et une longue accolade

s'ensuit. Puis, je disparais. *Adieu, ma sœur...*
je t'aime.

Pour la dernière fois...

Un curieux sentiment de légèreté m'envahit. Je suis survoltée en remontant la rue menant à l'appartement de Chafik. Une chaleur inhabituelle pour le mois d'avril sévit sur Montréal. Je porte ma robe d'été bleue aux bretelles spaghetti ainsi que mes chaussures à plate-forme qui galbent mes jambes bronzées grâce au soleil de Cuba. Je souhaite que M me voie ainsi, resplendissante, *sexy* et femme. L'excitation me gagne de plus en plus et je frémis lorsque j'arrive près de l'immeuble de briques grises juché tout en haut de la rue sans issue. Je me sens revivre, attendant impatiemment de surprendre M, qui n'a reçu aucune de mes nouvelles depuis plus d'un mois. L'attente a été longue et, aujourd'hui, je choisis de ne plus mourir esseulée. Simplement pour ressentir une nouvelle fois ce moment unique et revivre ce sentiment exaltant de retrouvailles, même s'il ne dure qu'une seule journée. Cela vaut la peine d'essayer encore. Une dernière fois. Cela vaut le coup pour tous les coups reçus et ceux à venir.

Je compose le code de l'appartement de Chafik. Personne ne me répond. J'attends donc sur le palier de l'immeuble, prête à patienter jusqu'à la nuit s'il le faut, mais je sais, grâce aux messages que M a laissés sur mon téléavertisseur, que ses journées sont uniquement composées d'allers-retours à la mosquée, car il espère me voir revenir. Il a abandonné l'attente à l'aéroport, se doutant bien que j'étais revenue au pays. Une heure passe alors que je guette le bout de la rue afin de ne rien manquer du spectacle qui se déroulera devant mes yeux. Le soleil est bon et, malgré l'heure avancée de l'après-midi, il me réchauffe encore la peau, posant sur mes bras nus ses rayons lumineux.

Ça y est, je le vois. Il remonte la côte. Ce moment est enivrant. Je reconnais sa démarche langoureuse ainsi que sa silhouette svelte mise en valeur par son jean Diesel et son chandail avec un col en V noir que j'aime tant. Je sais qu'il ne tardera pas à m'apercevoir et que nos retrouvailles seront magiques. Bien qu'il soit encore loin et que ses yeux soient cachés derrière ses lunettes d'aviateur, je sens son regard se poser sur moi. Il s'arrête net, paralysé par ma vue, et lève les bras vers le ciel.

— *Allahou akbar*, clame-t-il dans un élan de joie.

Il regarde en ma direction et fait non de la tête. Incrédule, il se jette à genoux et embrasse l'asphalte, dressant les mains maintes fois vers le ciel, avant de se relever et d'accourir vers mes bras ouverts.

— Tu es revenue ! crie-t-il dans un sanglot qui fait jaillir mes larmes.

Il se jette contre moi. Son doux parfum m'envahit et apaise ma douleur, mon manque, ma folie, mon désespoir. Il prend ma tête entre ses deux mains et me regarde passionnément.

— Je le savais que c'était pour aujourd'hui, *y'all baby*. J'ai tant prié pour ton retour. Si tu savais comme tu m'as manqué.

Puis il pose ses lèvres sur les miennes. Ce doux baiser que nous seuls connaissons, je l'ai tant espéré et tant attendu. J'ai tant lutté contre ma volonté, j'ai tant essayé de le rayer de mon existence et d'effacer le souvenir de mon prince charmant, mais il est tatoué sur mon cœur et vivre sans lui est inconcevable, je le sais maintenant.

— Comme tu es belle… Viens.

Il me prend la main tendrement, avec une douceur que je ne lui connais pas, et nous grimpons tranquillement l'escalier, nous arrêtant à plusieurs reprises afin de mieux nous embrasser. Je le scrute du regard, m'intoxiquant de l'image de sa tête parfaite, de sa peau si lisse, de sa mâchoire découpée finement. Son teint est vivifié et il rayonne d'une tout autre façon. Mon *fix*, ma drogue directement injectée dans mes veines.

Quand nous arrivons à l'appartement, il me tire doucement vers lui et me soulève, me tenant dans le creux de ses bras puissants afin de passer la porte comme de nouveaux mariés. J'éclate de rire lorsque ma tête heurte le cadre de porte et il se moque avec moi de l'absurdité du cliché. Il me balade comme ça à travers l'appartement, ne voulant pas me laisser toucher au sol, et tourne sur lui-même en faisant le clown pour me faire rire à nouveau. Il s'assoit finalement sur le sofa et me pose sur ses genoux, avant de blottir sa tête contre ma poitrine.

— Tu m'as tellement manqué, mon amour. Ne me quitte plus jamais, je ne sais comment survivre sans toi.

— Je sais, moi non plus. J'ai eu si mal. Promets-moi de ne plus jamais me blesser.

— Promis. J'ai tant de choses à te dire, je veux que tu saches tout ce que j'ai compris. J'ai changé, *ya'll baby*. Tu ne sais même pas à quel point. C'est un nouveau M que tu as devant toi.

Je veux le croire, j'aspire à y croire. Nous restons blottis l'un contre l'autre, dans une symbiose absolue, avant de faire tendrement l'amour en nous transperçant du regard. Dans l'unisson de nos corps, nous nous fondons l'un dans l'autre.

LES HOMMES DEVANT
ET LES FEMMES DERRIÈRE

Ce soir, M est invité dans l'arrondissement Saint-
Laurent chez un ami que je ne connais pas.
Encore un nouvel arrivant au pays. Ne sachant guère
que j'allais revenir aujourd'hui malgré son intuition profonde, M avait accepté de se rendre chez
Hicham pour une petite célébration entre amis.
Il me demande si je veux l'accompagner. Absolument! Je ne quitterai plus mon homme maintenant
que nous nous sommes retrouvés. Je suis heureuse
de constater que les vêtements que j'avais aban-
donnés à l'appartement un mois plus tôt sont toujours intacts, car je dois me changer : le soleil ayant
disparu, le vent est frisquet et, rapidement, le froid
flagelle à nouveau nos visages.

Nous marchons main dans la main dans les rues
de Montréal, nous dirigeant vers la maison de l'ami
en question et nous arrêtant de temps à autre afin
de profiter de nos lèvres, de notre odeur. Nous discutons de l'avenir, et M accepte que je reprenne
mes études et que je recommence mon métier de
comédienne comme bon me semble. Si c'est ce
que je veux, malgré sa réticence envers ce métier, il
me soutiendra dans ma carrière et sera fier de moi,

dit-il. J'ose lui dire que j'ai une audition importante dans quelques jours et que j'aimerais bien tenter ma chance. Il acquiesce et je suis folle de joie. Une nouvelle route se dessine devant nous et j'y marcherai la tête haute.

J'entre timidement dans le logement en suivant M de près, n'abandonnant pas sa main, que je tiens fermement dans la mienne. Sa fierté me rappelle notre premier voyage en Afrique lorsqu'il m'exhibait comme un trophée.

Il me présente comme étant sa femme et je comprends que M n'a pas fait mention de notre récente rupture, puisque les convives me demandent si j'ai fait un beau voyage et me souhaitent un bon retour au pays. Le contraire m'aurait étonnée, car sa fierté aurait été entièrement écorchée et M veille sur son honneur autant que sur ses vêtements Hugo Boss.

L'appartement n'est pas coquet du tout, on dirait un vrai *boys' club* avec des sofas en cuir brun et des lampes dépareillées éclairant trop peu la pièce. Une touche féminine aurait allégé le décor minimaliste et rustique. Il n'y a pas d'alcool. Seul du thé accompagne le festin de style buffet qui trône au centre d'une table basse. Une quinzaine de convives discutent fortement de politique et de leurs opinions différentes sur le président de leur pays, tout en avalant pain pita, tajine, couscous, volailles et légumes. Les termes politiques sont encore trop compliqués pour ma compréhension de la langue malgré mon arabe désormais presque parfait.

M se mêle à la discussion et prend vite le contrôle de la conversation. Il gesticule, débat, argumente et, fidèle à lui-même, il ne laisse personne avoir raison.

Je me retrouve rapidement retirée du groupe, souriant de temps à autre comme une dinde ne comprenant rien. M, fidèlement imbu de lui-même, ne remarque pas que je me trouve à l'écart et a tôt fait d'oublier sa galanterie, ne prenant pas soin de m'offrir une chaise ou de me servir un plat, alors qu'il se sert lui-même allègrement. Je suis trop gênée et respectueuse pour m'avancer et m'asseoir entre des gens que je ne connais pas, je reste donc debout derrière un des sofas, attendant que la conversation se dissipe un peu. La soirée avance et je suis toujours aussi mal à l'aise parmi ces nouvelles personnes qui, après m'avoir saluée, ne me prêtent plus attention. J'aurais bien aimé me mêler aux invités, mais le cercle est fermé et je ne sens aucune ouverture de la part de personne, ni des femmes ni des hommes.

À un certain moment, celui qui semble le plus vieux de la bande se lève et demande le silence. C'est l'heure de la prière. M reprend alors conscience de mon existence et se retourne vers moi, me demandant si je veux participer. J'ai tout de même pratiqué un peu mes sourates depuis les derniers temps et j'ai toujours mon papier avec la traduction phonétique dans mon sac à main, alors j'accepte de me mêler au groupe. M me toise d'un regard critique.

— Tu ne peux pas prier sans voile, *y'all baby*. Nous irons t'acheter ce qu'il te faut demain. Pour l'instant, observe.

Et il se dirige à l'avant des deux rangées que forme le groupe. Les hommes devant et les femmes derrière. De la cuisine, j'observe le rituel.

Je ne m'attendais pas à une soirée comme celle-ci. Encore moins à voir mon M priant religieusement avec un calme et une sérénité qui sèment un mince doute dans mon esprit. Le changement est radical. On ne change pas les mauvaises habitudes d'un vieux chien… Pendant la prière, je me faufile dans le vestibule et j'ose appeler ma sœur. Mon désir de la sécuriser est trop grand et le moment est propice, car je ne risque pas d'être prise en flagrant délit, même si ce genre de délit ne devrait plus être un problème dans ma relation avec M.

Victoria est en colère, fulminant et m'accusant de lui avoir menti. Elle a subi la fureur de mes parents, qui ont appelé Séverine, chez qui je n'étais pas. Je la rassure en lui disant que, effectivement, je suis avec M et que tout va bien. Je contacterai mes parents dans les jours suivants et leur demanderai de respecter mon choix. Victoria a le cœur gros et ne comprend pas ma décision. Personne ne me comprend, sauf M.

Liée à Allah

Le petit appartement d'une pièce et demie dans lequel loge notre trio m'étouffe et je sens que Chafik ne veut plus nous héberger. Cela fait plus d'une semaine que nous sommes dans ses pattes et, au petit matin, il fait de plus en plus de bruit, claquant les portes d'armoires et montant le volume de la radio afin d'écouter les nouvelles. Je n'en peux plus de le voir tourner sa cuillère dans son café, trois fois à gauche, quatre fois à droite, et donner trois petits coups sur le rebord afin de faire tomber la dernière goutte avant d'enfoncer l'ustensile dans sa bouche pour le lécher grossièrement. Le matin, je déteste voir son torse nu couvert de taches blanches dues aux champignons, lorsqu'il ne prend pas la peine d'enfiler un t-shirt avant de s'asseoir à la petite table de cuisine. Je déteste le voir avaler ses rôties au fromage qui lui donnent une haleine de mort, même après s'être brossé les dents et avoir laissé un coulis de dentifrice dans l'évier. De plus, sa voix nasillarde, haut perchée et toujours trop joyeuse m'agresse. Nous devons quitter cet endroit et nous trouver un logement rapidement avant que Chafik laisse des marques sur notre humeur.

Nul besoin d'en glisser un mot à M, son exaspération est tangible et, dès le départ de Chafik pour l'université, il me demande de ramasser mes trucs. Il n'en peut plus, nous dormirons ailleurs ce soir, dans une petite chambre d'enfant chez celui que j'avais défini comme étant le plus vieux de la bande lors de l'épisode de la prière à la « nonfête » de vendredi dernier. Il s'appelait Karim, si je me rappelle bien. Dès notre arrivée, la femme de ce dernier s'empresse de nourrir mon M, lui présentant un plat d'agneau qui semble délicieux. Nous sommes arrivés en milieu de soirée, ayant passé la journée à éplucher les journaux afin de nous trouver un logement libre immédiatement, ce qui est quasi impossible à la fin du mois d'avril. M mange avec appétit en me dévisageant. Je le questionne en plissant les yeux et, dès que nous nous retrouvons seuls, M me demande sournoisement pourquoi ce n'est pas moi qui lui prépare de si bons plats.

— Ah! C'est vrai, dit-il, tu ne sais pas cuisiner. Elle, elle sait.

Et il file dans le salon pour aller rejoindre la petite famille devant le téléviseur, me laissant seule pour ranger les restes de son repas. J'avais faim, mais je n'ai pas demandé à manger. D'ailleurs, personne n'a pris la peine de vérifier si j'avais une fringale. Déjà que je suis mal à l'aise de loger dans la chambre de la petite tandis qu'elle dormira dans le lit de ses parents, je ne vais certainement pas, en plus, manger la nourriture de mes hôtes alors qu'ils ne m'offrent rien spontanément. Je ne connais pas ces gens et j'essaie de me faire la plus petite possible. Je range sans bruit la vais-selle, attristée par le commentaire mesquin de M, mais je tente de repousser mon sentiment, ne voulant pas créer un drame. J'ai tout de même l'intuition que la femme du foyer trouve M à son goût et, voulant lui plaire, elle rassasie son estomac. La façon dont elle me défie du regard ne me plaît pas du tout. *Je ne resterai qu'une nuit ici, c'est non négociable*, me dis-je.

Plus tard en soirée, c'est l'heure de la prière. J'ai mon voile à portée de main. Nous l'avons acheté aujourd'hui dans une boutique près de la mosquée. Il est noir afin de s'agencer à n'importe quel vêtement et n'est pas trop épais. Devant le miroir, je dépose pour la toute première fois cette étoffe sur ma tête. M n'a pas pris le temps de m'apprendre à me coiffer de ce tissu et je dois m'y prendre à plusieurs reprises avant de le placer correctement, prenant soin de faire entrer chacune des mèches de mes cheveux blonds sous le voile. J'observe le résultat dans la glace de la salle de bain. Ce que je suis moche ! Mon visage encadré par le tissu noir semble plus rond malgré mes joues creuses et mon teint pâle. Je ne veux pas me montrer coiffée ainsi. J'ai honte de mon allure et j'ai l'impression d'être ridiculement déguisée. Mais je dois y aller…

Sur la pointe des pieds, je me dirige vers le salon. Les deux hommes se tiennent déjà debout, côte à côte, et la femme de Karim est placée derrière ce dernier. M tourne sa tête vers moi et je croise son regard. Je sens poindre un sourire narquois sur sa bouche. Il se fout de ma gueule ! Je n'ai qu'une seule envie, arracher ce voile en clamant haut et fort que ce n'est pas ma religion et que je n'adhère pas à ce concept que je trouve ridicule. Mes joues s'enflamment et la gêne me fait baisser la tête. Je me place debout derrière M, ma feuille bien en main, puis nous commençons le rituel. Je m'assure de prononcer correctement les mots et je suis les mouvements de M tout en essayant de demeurer concentrée. La prière ressemble à la salutation au soleil que j'effectuais lorsque je pratiquais le yoga au collège. Étonnamment, lorsque ma tête touche le sol et que je pose mon front directement sur le tapis, je sens une intense connexion se produire. J'ai l'impression qu'un fil de lumière s'échappe du milieu de ma tête et se dirige droit au ciel, à travers les étoiles, jusqu'à la boule d'énergie qu'est Dieu. Mon troisième œil picote et je sais qu'il est temps de faire mes demandes. La sensation de parler directement à Allah me remplit de force, comme si j'avais soudainement un allié, un soutien.

Mon Dieu, faites en sorte que M ne retombe pas dans ses failles. Mon Dieu, faites en sorte que notre route soit belle et sans obstacles. Mon Dieu, faites en sorte qu'il ne me frappe plus jamais. Mon Dieu, faites en sorte qu'il m'aime pour l'éternité.

Je sens que M se relève, il est déjà temps de quitter mon divin recueillement. J'aurais aimé rester au sol une éternité. Ce moment pendant lequel j'étais directement connectée à Dieu m'a recentrée et m'a élevée vers un niveau de spiritualité que je n'avais jamais connu. C'était si bon de me perdre dans cette réconfortante énergie. Je ne serai désormais plus jamais seule.

Contrôler
pour mieux régner

Une bombe est tombée ce matin. Un ami de M qui vivait illégalement au Québec depuis quelques mois s'est fait arrêter par la police et conduire jusqu'au centre de détention. Dans la cuisine, M fait les cent pas, essayant de trouver une solution. Le téléphone sonne sans cesse et les amis arrivent un à un à l'appartement de Karim pour une réunion d'urgence afin d'établir un plan. La discussion va bon train. Nous devons absolument aller voir Sofian au centre de détention, qui se trouve à une heure d'ici.

La nervosité m'emporte. Pourquoi devait-il se faire arrêter aujourd'hui ? Mon audition est à 13 h 15, et je dois me préparer mentalement et physiquement, d'autant plus que le temps presse. Je dois sauter dans le bus d'ici une demi-heure, sinon je n'arriverai pas à temps.

Je prends M à part et lui dis que je dois partir, mais que je les rejoindrai plus tard, après mon importante entrevue.

— Comment peux-tu penser à aller jouer les pétasses alors que mon ami vient de se faire embarquer ?

— Mais, mon amour, c'est important pour moi. Mon agente compte sur moi, elle a fait des pieds et des mains afin de m'avoir cette audition. Je ne peux pas reculer, il est trop tard et je m'y prépare depuis des jours, tu le sais.

— Tu n'es vraiment qu'une sale pute sans cœur si tu y vas. Si tu pars, tu ne reviens pas. Compris ?

Je ravale ma salive et je me sens soudainement prise au piège. Je me fous de son ami qui s'est fait arrêter. Nous avions convenu que je pouvais recommencer mon travail. Dans ma tête, ça roule vite et je dois prendre une décision.

Je ne me suis jamais rendue à l'audition. J'ai fait le choix d'éviter une colère et, croyant que M m'aimerait encore plus et serait fier de ma décision, j'ai abdiqué. À 13 h 15, dans la grosse fourgonnette de Karim, mon téléavertisseur sonne dans mon sac à main. Je l'éteins, n'osant pas regarder le numéro, m'annonçant sûrement un message réprobateur. Je n'ai pas l'énergie nécessaire pour affronter la déception de mon agente. Quoi que je fasse, ce n'est jamais la bonne chose, il y aura toujours quelqu'un d'insatisfait. Et moi, qui suis-je ? Quels sont mes désirs ? Je n'en sais rien, je ne sais plus.

À 14 heures, nous arrivons au centre de détention. L'énorme bâtisse grise trône au milieu d'un champ, entourée de barbelés et de gardiens de sécurité aux airs méchants sécurisant la porte d'entrée.

M m'ordonne de rester dans le véhicule, refusant que je descende avec eux. J'y reste deux heures. Et lui, fidèle à sa personnalité, il ose défier les autorités en passant la porte avec ses faux papiers.

Je me morfonds sur le banc du passager. Pourquoi ma présence était-elle requise ? J'aurais très bien pu me rendre à mon audition plutôt que de poireauter dans un stationnement. Je suis en colère contre moi-même et je m'en veux terriblement. Acquiescer à la demande de mon Monstre lui a donné le droit d'entrer à nouveau dans ma tête et de reprendre le contrôle.

LE MAL

Nous avons quitté la petite chambre d'enfant et nous logeons maintenant dans un motel miteux à trente-cinq dollars la nuit en attendant de prendre l'appartement de Bachir, qui nous sera sous-loué pour les six prochains mois, soit la durée de son stage à l'étranger.

La chambre du motel est horriblement sale et glauque. Le vieux tapis rouge est déchiré à plusieurs endroits, les draps du lit sont éternellement tachés et la moisissure sur les murs jaunâtres me dégoûte. La rouille a bruni la cuvette de la toilette et la céramique de la salle de bain est craquelée. La douche coule sans cesse et le perpétuel bruit des gouttes qui s'écrasent m'empêche de dormir. La chambre n'a qu'une seule fenêtre, qui est condamnée, et l'air saturé m'empêche de respirer convenablement.

De nouveau, M a reçu un virement d'argent de la part de son père, ce qui nous aidera à survivre pendant les prochains jours. De mon côté, j'ai obtenu un rendez-vous dans un centre de placement. Depuis quelques jours, je ressens un léger pincement dans le bas de mon ventre et je suspecte une fièvre qui me fait frissonner. Je n'ai pas prêté attention à cet état, j'aurais dû.

M n'est pas d'humeur aujourd'hui et il refuse de quitter la chambre du motel. Il regarde la télévision et m'envoie lui acheter de la nourriture, à mon grand soulagement, car cette chambre me répugne au plus haut point. Je mets ma veste et, avant de partir, M me demande si je n'ai pas oublié quelque chose. Je réfléchis rapidement. Je ne l'ai pas embrassé avant de partir, c'est peut-être la bonne réponse. Je m'avance vers lui afin de lui déposer un baiser sur les lèvres, mais il me repousse brutalement.

— Ton voile ! Tu as commencé à prier alors comment oses-tu sortir la tête nue ? Tu veux que les mecs te regardent, c'est ça ? Tu veux aller en enfer ?

Pourtant, hier, je ne l'ai porté qu'au moment des prières. Pourquoi, soudainement, veut-il que je me cache sous ce tissu gênant pour sortir dans les rues de mon pays ? Peut-être est-ce parce qu'il est contrarié ? La peur d'une éventuelle colère me pousse à prendre le voile et à le poser sur ma tête avant de sortir. J'aurais très bien pu l'enlever une fois à l'extérieur, mais j'ai le sentiment qu'il a l'intention de me suivre et de vérifier si je suis toujours coiffée de l'étoffe noire qui cache ma chevelure. Je me mets au défi de demeurer couverte de la sorte et, la tête basse afin d'éviter les regards des passants, je me rends à l'épicerie. L'expérience est désagréable. L'impression de ne pas avoir le droit d'être femme, d'exister et d'être belle m'accable. Je ne comprends guère les raisons qui poussent le Coran à nous cacher ainsi et je me ferai un devoir d'étudier en profondeur la question.

De retour à la chambre, une vive douleur envahit mon bas-ventre. Je me dépêche d'aller à la salle de bain. Un filet de sang coule dans la cuve des toilettes. Pourtant, ce n'est pas le moment de mes règles. Je mentionne à M mon mal et il ne fait que grommeler que ça va passer. Je n'en fais pas de cas, mais au fil des heures la douleur s'intensifie. Je dois me rendre à la salle de bain plusieurs fois d'affilée et je redoute une cystite qu'il faut soigner immédiatement. Nous n'avons pas l'argent nécessaire pour me procurer des médicaments, je continue donc à souffrir en espérant que le mal se dissipera. M n'en peut plus de m'entendre me plaindre. Il se lève soudainement et quitte la chambre du motel.

— Tu vas où?

Il ne me répond pas et ne reviendra qu'à la tombée de la nuit, me laissant seule, malade. J'essaie tout de même de faire mes prières et de me divertir en regardant la télévision, mais je passe mon temps à courir vers la salle de bain en gémissant lorsque le sang me brûle le bas-ventre.

Finalement, M passe la porte. Je suis couchée en boule sur le lit malpropre, j'essayais de dormir en souhaitant que la douleur me quitte.

— Ça ne va pas?

— Non. C'est vraiment douloureux, mais ça va passer. Tu es parti longtemps, tu étais où?

— À la mosquée.

M est dans un état étrange. Il s'assoit directement sur le sol, les jambes croisées, et récite en boucle des passages du Coran qu'il tente d'apprendre par cœur. J'essaie d'arrêter de me plaindre, mais de temps à autre je grince des dents en me lamentant un peu. Une fois de trop. Soudainement, M se lève et se précipite sur moi. Il met rudement sa main sur ma bouche en appuyant très fort sur mes lèvres.

— Tu arrêtes de gémir ?

Ses yeux sont monstrueux. Il y a longtemps que je n'avais pas rencontré ce regard que je connais trop bien. Je ferme les yeux, ne voulant pas qu'il plonge les siens dans les miens. M me relâche et retourne à ses occupations. Je sens encore long-temps l'empreinte de ses doigts sur ma bouche. *Mon Dieu, faites en sorte que le Monstre ne revienne pas me hanter. Je n'ai pas la force de me battre à nouveau.*

DOULEURS

La nuit est difficile et les allers-retours à la salle de bain se sont intensifiés. M est parti à la mosquée pour la prière matinale et, de mon côté, je la récite seule à mon lever. Je dois me rendre à mon rendez-vous, mais je n'y arriverai pas. Je sors péniblement de la chambre du motel et, par un temps pluvieux, j'erre dans les rues de Montréal, cherchant une clinique sans rendez-vous. Il est très tôt, j'ai froid et le bas de mon dos me fait terriblement souffrir. Je dois me plier en deux afin de mieux avancer. Finalement, je vois au loin la pancarte verte m'indiquant l'entrée d'une clinique.

J'entre. Il y a une foule déjà intense qui attend de voir un médecin. J'avance difficilement vers la réception, où une gentille dame me demande ma carte d'assurance maladie. Je la lui tends en tremblant, me sentant de plus en plus faible, faisant un effort surhumain pour ne pas m'évanouir.

— Vous pouvez vous asseoir, mademoiselle, me dit-elle en me tendant un numéro.

Je n'arriverai pas à patienter. D'une voix à peine audible, saccadée, et dans un sanglot d'hyperventilation, j'arrive à prononcer une phrase avant de m'écrouler sur le sol.

— Aidez-moi, madame, s'il vous plaît… J'ai si mal. Je n'en peux plus.

Affalée sur le plancher, j'essaie de me relever, mais la tête me tourne. Une infirmière accourt vers moi et m'aide à me rendre vers un cabinet vacant, alors que la réceptionniste avise un docteur qu'une patiente a besoin de soins urgents dans la salle numéro 4.

Couchée sur le lit, j'attends, les joues ruisselantes de larmes, qu'un médecin me sauve de ce mal qui me transperce les reins, le ventre, la vessie. Je frissonne. Le docteur entre dans le cabinet et amorce son examen, me posant une multitude de questions, s'empressant de tâter mon ventre et mon dos.

Son verdict est immédiat, je dois recevoir des soins urgents à l'hôpital, il soupçonne une pyélonéphrite. Une quoi ? Une pyélonéphrite est une infection bactérienne qui atteint le rein et, lorsqu'elle n'est pas soignée, peut l'endommager considérablement et causer des lésions irréversibles.

L'ambulance est appelée sur-le-champ et on me transporte rapidement vers l'hôpital le plus proche.

Entre-temps, je donne à l'ambulancier le numéro de Chafik afin qu'il avise M de ma situation. L'ambulancier ressemble au père Noël et sa candeur me fait pleurer. Il est si gentil, doux et compréhensif. Mon papa me manque. Ce que j'aimerais qu'il soit présent à mes côtés en ce moment ! Je me sens si seule depuis mon retour dans les bras de M.

Nous arrivons rapidement à l'hôpital Saint-Luc. Je suis immédiatement dirigée vers les soins

intensifs, où des infirmiers me font passer différents tests pour finalement me soulager en m'in-
jectant un puissant antibiotique, qui me propulse
dans un état qui ressemble à celui de l'ivresse.

Je suis alitée depuis combien d'heures ? Je ne sais
pas. La tête dans la brume, j'observe le va-et-vient
des infirmiers et des visiteurs, et je me sens seule.
Le temps passe et je comprends qu'il fait nuit, car
les néons au plafond ne crépitent plus et le silence
est pesant.

La douleur s'est relativement calmée et je réussis
à m'assoupir de nouveau, malgré l'immense solitude qui inonde mon être. À mon réveil, je me
demande si quelqu'un sait que je suis ici, couchée
sur un lit d'hôpital parmi d'autres malades, isolée
par un mince rideau qui me coupe du monde. L'infirmière qui s'occupe de moi est d'une douceur qui
s'apparente sûrement à celle de mère Teresa, me
dis-je, ce qui fait ressortir une boule d'émotion
que je n'arrive pas à contenir. Je pleure secrètement dans ma solitude lorsqu'une chevelure brune
et frisée apparaît à travers le rideau tiré. Je suis
encore dans les vapes à cause de la forte médication
alors je ne reconnais pas tout de suite l'homme qui
se tient devant moi. Il s'approche doucement du lit
et prend ma main molle dans la sienne.

— Sophie ?

J'ouvre les yeux un peu plus grands et je reconnais Michel. Que fait-il à l'hôpital ? Cela fait des
années que je n'ai pas vu cet homme qui s'est tant
occupé de mes sœurs et de moi lorsque nous étions
petites. Michel et Lucie habitaient à quelques maisons de la nôtre au pied de la montagne et se sont

très vite liés d'amitié avec mes parents. Lorsqu'ils ont su qu'ils ne pourraient jamais avoir d'enfants, ils nous ont adoptées, mes sœurs et moi, comme si nous étions les leurs. Pendant toute notre tendre enfance, nous les avons surnommés oncle Michel et tante Lucie. Nous avons passé nos journées de congé ainsi que les fêtes familiales en leur compagnie. Tante Lucie et oncle Michel ont toujours occupé une place importante dans nos vies, et je suis surprise de voir cet homme à mes côtés alors que personne n'est encore venu à mon chevet.

Michel m'explique qu'il travaille à l'hôpital et, comme le hasard n'existe pas, mon test d'urine s'est retrouvé entre ses mains pour être analysé. Il est presque tombé en bas de sa chaise lorsqu'il a vu mon nom sur l'étiquette. Mon nom de famille est très rare au Québec, donc il se devait de venir vérifier si c'était bien moi et si j'allais mieux, mais il n'a pu se libérer avant aujourd'hui. J'aurais tant aimé raconter à Michel que ma vie est un chaos et que j'ai besoin d'une porte de sortie, que j'ai fait la pire gaffe de mon existence en retournant avec M et que je souhaite que mes parents viennent me prendre dans leur bras. J'aurais tant aimé qu'oncle Michel me sorte de l'hôpital et me reconduise dans ma chambre, à la maison de mes parents.

M choisit ce moment pour arriver à l'improviste. Avec son charme habituel, il se présente à Michel et discute un peu avec ce dernier avant de se diriger vers moi pour m'embrasser rapidement sur le front. Michel doit retourner à son poste et c'est à regret que je le laisse me quitter. M veut connaître les raisons de mon hospitalisation. Il n'a pu venir avant, car il devait se rendre à la mosquée. Il veut surtout savoir si un homme m'a examinée.

Quel homme ne se précipite pas au chevet de sa femme lorsqu'il apprend qu'elle est entrée d'urgence à l'hôpital ? M est resté une heure tout au plus. Entre-temps, le médecin est venu constater mon état de santé et, lorsqu'il nous a annoncé que mon départ était prévu pour le lendemain, M a décidé de prendre congé de moi. Il viendra me chercher demain.

Je suis restée seule pendant trois longues journées à cet hôpital et, lorsque je suis sortie, affaiblie et livide, M m'a directement traînée chez un de ses amis, où un rassemblement était prévu. J'étais si faible et je n'avais aucune envie de me retrouver parmi des inconnus. Je n'avais qu'un seul désir : regagner un chez-moi qui, malheureusement, n'existait pas.

PRISONNIÈRE DU TAUDIS

M est redevenu Monstre. Depuis mon retour définitif dans ses bras, le répit n'a duré qu'une semaine ou deux, tout au plus. J'ajoute à sa monstruosité le fanatisme qui l'emporte de plus en plus.

J'ai lu le Coran en entier après avoir reçu de la part de Hakim une copie traduite, et je trouve cette religion divinement belle. La véracité des propos me charme et me fait réfléchir. J'aime la prière qui me connecte si intensément à Dieu. J'aime ce moment qui me remplit d'une force invisible lorsque je pose la tête sur le sol et que je demande à Allah de m'aider à continuer.

Mais M n'est pas joli dans sa religion. Il ne lit pas le Coran de la même façon que moi et succombe au côté obscur, s'appuyant sur certains versets et les interprétant à sa manière pour me punir et me faire sentir inférieure à lui. Je n'ai plus la force de le contredire ni de me battre contre les absurdités dont il me bourre le crâne. M justifie ses actes violents, sa colère et sa folie en essayant de me faire croire que c'est la volonté d'Allah, et je n'ai plus d'arguments face à cet homme qui se perd dans des croyances qu'il a lui-même forgées.

Nous sous-louons depuis quelque temps l'appartement de Bachir, logé dans un immeuble crade de l'arrondissement Saint-Laurent, loin de tout et près de rien. L'autoroute et le centre commercial sont tout ce qu'il y a dans le coin. Le minuscule appartement d'une pièce et demie occupe une infime partie du sous-sol du bâtiment, tout juste en face du garage intérieur d'où émane un ronronnement constant de chauffe-eau. Les murs de carton qui nous séparent du garage ne sont guère insonorisés et je comprends maintenant les raisons du coût du loyer, qui ne dépasse pas les trois cents dollars par mois. Le voisinage est principalement indien et l'odeur de curry est omniprésente dans les couloirs sombres nous menant à l'appartement. Je ne détestais pas cette odeur jusqu'à ce que je l'associe à cette période de ma vie. Aujourd'hui, les épices indiennes me renvoient directement dans le passé et, malheureusement, me donnent autant la nausée que le jasmin.

M n'a jamais voulu que je recommence à travailler, préférant me garder à la maison. C'est la place d'une femme, dit-il. Pourtant, sa propre mère a un emploi, mais je ne le contredis plus, c'est trop risqué. De son côté, il s'est déniché un emploi illégal dans un lave-auto géré par Karim et situé à quinze minutes en bus de notre nouveau taudis. Il y passe ses journées et s'amuse à décrasser les voitures, entouré de ses amis. Ils sont six jeunes hommes illégaux à y travailler et j'appréhende le moment où la police se pointera pour les embarquer. M a ses faux papiers alors la police ne lui fait pas peur et, au pire, nous retournerons vivre en Afrique, donc pour l'instant tout va bien.

J'ai jeté un œil sur ses papiers. M croit réellement que les Québécois sont complètement stupides, car, à la vue des documents, je peux moi-même facilement témoigner qu'ils sont faux. Bien sûr, je ne le lui ai jamais dit…

M s'amuse à me raconter qu'il reçoit énormément de pourboires, surtout lorsqu'il drague les jeunes filles riches du quartier quand elles viennent expressément faire astiquer leurs bagnoles pour le voir. Selon lui, il n'y a aucun mal à user de son charme pour renflouer ses poches. Ses paroles me blessent, me font douter, me rendent jalouse et me rabaissent. Ce malin plaisir à me raconter ses jeux de séduction le comble-t-il vraiment de bonheur ?

Ce matin, comme tous les matins, je me lève à l'aube pour faire ma prière. Je dois tout d'abord me laver selon un rituel, les ablutions ou le *wudhu*, c'est-à-dire que je dois me purifier des impuretés. Les yeux encore endormis, je me rends la première à la salle de bain afin de laisser M dormir le plus longtemps possible et je me lave les mains jusqu'aux poignets. Par la suite, je dois me rincer la bouche, le nez et le visage trois fois, puis le bras droit et le bras gauche, trois fois aussi. Finalement, je dois passer ma main mouillée sur ma tête, me laver les oreilles et terminer en rinçant, trois fois encore, mon pied droit ainsi que mon pied gauche. Après ma purification, je réveille doucement M tout en ajustant mon voile sur ma tête. Il grogne et me repousse, mais j'insiste. Hier, je n'ai pas insisté et ça m'a valu l'engueulade du siècle.

J'attends que M soit purifié avant de m'agenouiller sur le tapis de prière, la tête fièrement dirigée vers le nord-est. Ce moment est d'une importance capitale, car je prends le temps de sentir l'énergie monter vers le ciel et je me connecte à plus grand. Je m'apprête à exécuter le rite de la *salât* et je veux mettre toutes les chances de mon côté afin qu'Allah m'entende et exauce ma demande.

M sort rapidement de la salle de bain et s'installe devant moi, les jambes légèrement écartées et les mains jointes. Je me lève et nous commençons notre routine spirituelle, lui, tel un automate, et moi, du plus profond de mes tripes. Il se recouche ensuite sur le futon aux draps violets qui ne tiennent jamais en place et qui déteignent sur nos pyjamas lorsque nous avons trop chaud. Je déteste ce lit trop petit pour nos deux corps, surtout que je bouge beaucoup pendant la nuit, selon M. Je ne veux pas me rendormir à ses côtés, je veux rester recroquevillée, la tête sur le tapis de prière, là où je me sens bien.

Les minutes que je passe sur le plancher s'éternisent et les rayons de soleil s'infiltrent peu à peu par l'unique fenêtre du sous-sol, qui donne sur un terrain vague entre notre immeuble et celui des voisins. Durant la journée, le paysage extérieur est composé de pieds, de souliers, de bottes et de chevilles, certaine poilues, d'autres pas.

Je prie encore Dieu, répétant tel un mantra la même phrase : *Mon Dieu, faites en sorte que je puisse sortir d'ici aujourd'hui. Mon Dieu, faites en sorte que je retrouve ma vie.*

Le cadran sonne et me tire de mon état de transe. M se lève et file vers la douche.

— Tu es encore là, toi ? dit-il d'un ton rempli de mépris.

Je ne réponds pas à ce commentaire. Je me relève afin de dégourdir mes jambes et de préparer le café. J'essaie tous les matins de faire plaisir à M en lui servant son petit-déjeuner lorsqu'il sort de la douche, espérant ainsi que la journée commencera du bon pied et qu'il m'aimera aujourd'hui. *Je verrai peut-être autre chose que ces quatre murs si la journée débute bien*, me dis-je bien naïvement. Ce plan n'a pas encore fonctionné, mais peut-être que, ce matin, tout ira bien. *Pour l'instant, je n'ai pas fait de bévue*, pensé-je.

Mon plaisir à moi est de boire sept ou huit cafés en ligne, je remplis donc la cafetière et la laisse couler le temps de préparer les rôties. Je dépose le tout sur la petite table-bureau du salon alors que M sort de la douche, une serviette de bain tombant sur ses hanches osseuses. Il a perdu énormément de poids depuis notre première rencontre et je le trouve bien maigre ainsi. J'aurais dû lui préparer plus de rôties et un *steak and egg* en remplacement du beurre d'arachide et du pauvre pain blanc. Je suis assise sur une des deux chaises, sirotant mon café, les cheveux ébouriffés à cause du voile que j'ai porté durant mon temps de prière, et j'observe M tendre la main vers une de ses rôties, en prendre une bouchée et la recracher aussitôt. Il prend l'assiette et la jette contre le mur. Elle éclate en mille morceaux.

— C'est froid. Tu n'es bonne à rien… Même pas capable de préparer du putain de pain. Mais qu'est-ce que je fous avec toi ?

Je reste figée sur ma chaise, ayant évité de justesse l'assiette qui s'est fracassée tout près de mon visage. Avait-il vraiment l'intention de me la jeter en pleine figure ? Je suis sans mots, en alerte, attendant son prochain éclat de colère, mais il n'en fait rien. Il enjambe la porcelaine brisée sur le parquet, enfile son jean et son t-shirt, puis il sort et me jette un regard mesquin dans l'embrasure de la porte avant de la refermer à double tour.

Dès notre arrivée, M a changé le loquet par paranoïa, car il avait peur que quelqu'un possède le double des clés. Malheureusement, il a choisi une serrure qui ne s'ouvre que de l'extérieur. Alors son plaisir depuis que nous sommes ici est de m'enfermer toute la journée dans cet appart merdique. La troisième journée, j'ai tenté de m'échapper par la fenêtre, mais l'espace étant petit et la peur de me faire surprendre trop grande, j'ai dû renoncer à l'idée. Si le feu prend, je suis perdue, n'a-t-il pas pensé à cela ?

Je cours vers la porte et je frappe sur celle-ci, hurlant à M de revenir et de me laisser libre aujourd'hui. Je suis désolée pour les rôties, mais je ne supporterai pas de passer à nouveau la journée dans ce taudis sans issue. Je m'effondre sur le sol, cognant à maintes reprises ma tête contre le mur, essayant de laisser place au mal physique pour ainsi geler la souffrance de mon âme.

Je suis un zombie dans cet appart maudit. Pourquoi suis-je punie pour des rôties qui venaient pourtant de sortir du grille-pain ? Il avait besoin d'une excuse pour fulminer à son aise et moi j'écope de son mal-être, prête à me laisser détruire par amour.

Les heures passent lentement. Je n'ai pas accès à l'ordinateur, car M l'a sécurisé d'un mot de passe que je ne connais pas. Je n'ai pas accès à l'extérieur, je n'ai pas accès au monde, je suis prise en otage dans ce sous-sol où la chaleur accablante m'assomme, où l'ennui et la peine me tuent. Une jeune femme de mon âge ne devrait-elle pas être au sommet de sa forme, socialisant, travaillant, étudiant, faisant la fête ?

Le bruit du loquet de la porte me fait sortir de mon apathie et je deviens du coup à l'affût de tout signal qui me préviendrait d'un danger. M est de retour et je suis aux aguets alors que j'entends différentes voix provenant du couloir. Il entre dans l'appartement accompagné de ses collègues du lave-auto, dont Karim. La bande envahit la pièce et j'ai à peine le temps de filer dans la salle de bain afin d'éviter qu'ils me voient, car je suis toujours en pyjama, les yeux rougis et les cheveux défaits. Je n'avais aucune envie, après ma pénible journée dans la chaleur suffocante de cette prison, de voir une bande de mecs débarquer dans mon cocon, aussi crado soit-il.

M cogne à la porte de la salle de bain.

— Tu ouvres ?

Je le laisse entrer dans la minuscule pièce en me reculant vers le rideau du bain afin d'être le plus loin de lui possible. Je le déteste en ce moment.

— Tu te caches ?

— Non, je voulais juste me changer…

— Tu es impolie, tu me fais honte, lance-t-il.

Je rétorque quelques mots, essayant de lui faire comprendre qu'il m'a enfermée ici toute la journée, ce qu'il fait tous les jours depuis un trop long moment déjà. Je lui avoue que, quand il entre à l'improviste de cette manière avec des amis, cela me perturbe et que, d'ailleurs, je ne suis pas toujours prête à recevoir tous ces gens.

Je n'ai pas le temps de finir ma justification qu'il élève la voix et me pousse vers l'arrière. Mes mollets s'accrochent dans le pied du bain et je tombe à la renverse, emportant le rideau de douche. Ma tête cogne brutalement contre le dosseret de la douche et le bas de mon dos craque lorsqu'il heurte le fond du bain. J'entends ses amis crier comme s'ils écoutaient un match de boxe à la radio et je vois M regarder avec audace vers la porte restée entrouverte, puis tourner son visage vers moi, qui suis toujours affalée dans le bain. Avec un mépris extrême, il crache en ma direction. Karim s'approche afin de constater les dégâts. Il me lance un regard aussi arrogant que celui de M et tous deux sortent en claquant la porte derrière eux. Je reste enfermée de mon propre chef dans la microscopique salle de bain, attendant que les monstres quittent les lieux, soignant de mon mieux mes blessures. J'ai dû sortir par la suite, car M avait besoin de se laver afin de faire sa prière. Quel hypocrite… L'islam interdit de battre sa femme.

— C'est maintenant que tu choisis de sortir, *ya kahba*?

Marquée de bleus colorant peu à peu ma peau ainsi que le côté droit de mon visage, je vais directement au lit. Le lendemain, il ne m'a pas enfermée. Sa façon de s'excuser, peut-être, mais je ne suis tout de même pas sortie. Je redoutais trop sa réaction.

La force de la prière

La mosquée ne ressemble à rien de l'extérieur. Pourtant, lorsque je franchis l'entrée réservée aux femmes, c'est un endroit merveilleux qui se révèle à moi. Les plafonds sont extrêmement hauts, et une vibration de paix et de sérénité émane des murs où des sourates du Coran sont finement gravées. La lumière jaillit des vitraux multicolores qui laissent passer les doux rayons du soleil, ce qui rend l'endroit encore plus magique. J'abandonne mes chaussures à l'entrée et je pose mes pieds nus sur le tapis beige douillet de la salle. De l'autre côté d'une cloison en lattes de bois entrecroisées se trouve la pièce de prière des hommes, lieu que je n'ai pas le droit de fréquenter. Je me rends à la salle d'eau située à l'arrière, où des fontaines et des jets me permettent de me laver facilement. J'entame mon rituel en me concentrant sur chacun de mes gestes, honorant ce moment où je suis seule et en sécurité. Je suis arrivée une bonne heure avant le début de la prière afin de me familiariser avec l'endroit. M travaille aujourd'hui et, depuis qu'il m'a libérée de l'appartement, nous avons convenu que je pouvais me rendre uniquement à la mosquée, ce qui me convient, car j'aime ces moments de recueillement et je n'ai plus la force d'affronter le tumulte de la vie du centre-ville.

Je termine ma purification et je retourne à pas feutrés sur le tapis moelleux afin de me recueillir. Les femmes commencent à prendre place autour de moi, chacune portant un voile différent, selon la mode du moment. Je ne remarque aucune femme blanche de ma nationalité et je fais abstraction des regards curieux en ma direction. Je suis ici pour moi.

L'appel à la prière se fait entendre. Je me laisse enivrer par le chant pur et doux de l'imam. Sa voix est pratiquement céleste et m'aide à me rapprocher des anges. Je prononce les mots arabes et je me surprends à fredonner à voix basse la sourate choisie. Depuis les dernières semaines, j'ai appris par cœur plusieurs prières, dont celle d'aujourd'hui. Ma mémoire ne me fait pas défaut et je ne manque aucun mot. Je ne les comprends pas tous, mais ma prononciation est bonne.

En sortant de la mosquée, je ne me sens plus seule. Je suis légère et pleine d'une puissance nouvelle. J'ai l'impression de faire partie d'un tout, car Dieu m'accompagne à chacun de mes pas et la solitude n'est plus aussi vaste dans mon petit monde.

À l'extérieur, hommes et femmes s'entremêlent, et je suis choquée par certaines musulmanes qui retirent tout de suite leurs voiles. Le mien est bien en place et je n'oserais jamais l'enlever, surtout après avoir prié dans ce lieu. Quelle hypocrisie ! Cela me dépasse. Je retourne tranquillement vers mon sous-sol et je me permets, sur le chemin du retour, de m'arrêter à l'épicerie, car j'ai l'intention de concocter un repas pour M.

Repas qu'il jettera à la poubelle après la première bouchée.

PLUS JAMAIS

J e fréquente la mosquée depuis quelques jours et
je me suis liée d'amitié avec une femme de mon
âge. Nous avons l'habitude d'arriver tôt avant le
début de la cérémonie et, dans la salle d'eau, nous
faisons plus ample connaissance.

Elle est magnifique dans son costume traditionnel bleu électrique, qui met en valeur sa peau
noire et brillante. Elle est énergique et se permet de
me poser mille et une questions. Au début, la gêne
faisait en sorte que je marmonnais des réponses
vides de sens, mais, petit à petit, sa curiosité toujours aussi vive m'incite à ouvrir mon cœur et à
me livrer à elle. À un moment, dans un élan de
confiance, j'ose pour la toute première fois parler
de ma relation avec mon époux : sa violence hors
de contrôle, sa méchanceté, ses humiliations. En
quelques mots, sans m'éterniser, je lui demande
conseil. Sa réponse referme mon âme telle une
huître qui restera close à jamais. Elle me conseille
de supporter ses sautes d'humeur, de prier pour
qu'il change et d'essayer de le comprendre. Dieu
l'a mis sur ma route afin que je l'aide à progresser
vers le droit chemin. C'est mon mari, je ne peux

le déshonorer. S'il me bat, il a ses raisons, je dois essayer de m'améliorer.

Une claque en plein visage m'aurait plu davantage. Les mots de la jeune femme me blessent tant que je me promets de ne plus jamais me confier à qui que ce soit. Moi qui cherche une aide, un réconfort, une force pour me convaincre que ma situation est malsaine… Moi qui cherche un tremplin pour sauter hors de cette relation… Jamais je n'aurais cru qu'une autre femme appuierait la violence conjugale. Je ne dois compter que sur moi-même et retrouver la petite fille en moi afin de sauver sa peau.

Bon anniversaire, Sophie!

C'est mon vingtième anniversaire aujourd'hui. J'éprouve toujours une grande fébrilité le matin de ma fête, comme si ce vingt et unième jour du mois de mai était magique et que tout pouvait m'arriver. Maman avait l'habitude de me réveiller avec une chandelle à la main et de m'offrir ma carte de souhaits dans mon lit, entourée de mes sœurs et chantonnant la chanson traditionnelle en suédois.

Cette fois, il n'y aura aucune célébration. J'ai attendu toute la journée jusque tard le soir et M n'a fait aucune mention de ce moment spécial. Lorsqu'il est parti travailler en début d'après-midi, je me suis rendue au magasin à un dollar et je me suis acheté trois palettes de chocolat. Une Mr Big, une Caramilk et une Coffee Crisp. Je les ai dévorées, assise sur le lit, en pleurant à chaudes larmes. Je n'ai pas ouvert mon téléavertisseur, sachant très bien que les messages s'y trouvant, surtout aujourd'hui, m'achèveraient. Je ne me suis jamais sentie aussi morte qu'en ce jour de ma naissance.

BRISÉE

Peut-être est-ce par contrôle ou par mesqui-
nerie, mais M a attendu quelques jours après
mon anniversaire fantôme pour le souligner. En
revenant du travail, il me demande de m'habiller
proprement, car il m'emmène au restaurant ce soir.
Je suis totalement sous le choc, n'étant pas sortie à
plus de cent mètres de l'appartement depuis trop
longtemps. Je n'ose m'imaginer prendre le bus à
nouveau ni, surtout, manger dans un restaurant
rempli de gens. Je ne comprends pas l'humeur de
M. Il est pimpant et empreint d'une énergie vivi-
fiante. Pourtant, hier, il m'a traînée dans le garage
pour m'engueuler vertement et ensuite me jeter
par terre pour me rouer de coups dans les côtes.
Il a assurément fêlé l'une d'entre elles, car je respire difficilement et je sens une brûlure dans ma
cage thoracique.

Je n'ai plus l'énergie ni mon sourire d'autrefois.
Je suis bien heureuse de sortir manger, mais mon
entrain n'est plus aussi apparent. Je ne vaux rien,
je ne suis pas désirée, je suis prise en otage par un
magicien de l'âme qui joue avec mes sentiments et
me brise jour après jour. J'enfile difficilement un

pantalon long et un chandail que je trouve mignon. Mon voile… Bien sûr que je dois mettre mon voile, sinon c'est l'enfer qui m'attend. Pourtant, je suis déjà en enfer… M ne porte évidemment pas de tissu sur la tête, mais il tente de se laisser pousser la barbe, ce qui n'est pas une réussite, car mon M est imberbe du menton jusqu'aux hanches.

Lever les bras afin de me vêtir me fait horriblement mal. Lentement, doucement, je m'habille et je me coiffe du foulard traditionnel, cachant cette Sophie qui n'est déjà plus que l'ombre d'elle-même.

— Tu es jolie, dit-il en s'empressant de m'embrasser sur la commissure des lèvres.

Mes joues s'empourprent, car je me trouve moche sous ce bout de tissu qui ne m'avantage aucunement. Il prend mon visage entre ses mains et me lève la tête afin que mes yeux rencontrent les siens.

— Veux-tu laisser tomber le voile pour ce soir ?

C'est probablement un piège, dans lequel je ne tomberai pas malgré mon grand désir de sortir la tête libre.

— Bien sûr que non. Je suis prête, on y va ?

M hoche la tête et me lance un sourire entendu. Non, je ne suis pas tombée dans sa toile d'araignée.

Le restaurant choisi par M est un « apportez votre vin » thaïlandais situé dans le quartier de Chafik. Les tables ornées de nappes blanches et de chandelles de cristaux donnent un semblant de chic à cet endroit très bruyant. Nous prenons place à l'une d'elles, près de la fenêtre. Je choisis la chaise près du mur, ce qui me sécurise, car je crains constamment qu'un coup m'assomme par-derrière, même si mon Monstre se tient devant moi. Je devine le regard des gens qui m'épient et qui jugent mon accoutrement. Comment une Blanche peut-elle porter le voile ? Je me pose la même question malgré le fait que je commence de plus en plus à croire en l'islam et à me convaincre que cette religion détient la pure vérité. Pourtant, je me sens toujours aussi déguisée et mal dans ma peau, ce qui me fait baisser la tête davantage.

Je prends le menu que me tend le serveur et, sans prendre garde aux conséquences, je lui souris en le remerciant. J'ai faim et je mangerais un repas cinq services si le budget le permettait. M tres-saille devant moi et, soudainement, son énergie se transforme. Il manifeste un mécontentement gran-dissant. Une boule de peur monte à ma gorge, je me mords la lèvre inférieure, qui se met à trem-bler instinctivement. M pose son menu ainsi que ses coudes sur la table et croise les mains pour y accoter son menton. Il se penche légèrement vers moi et, dans un murmure à peine audible, d'une voix grave et lente, me dit :

— Tu dragues les serveurs, toi ?

J'ai su, au moment où j'ai spontanément souri au jeune homme, que M ne laisserait pas ce geste passer inaperçu. Je ne suis pas maquillée, je suis maigre comme un squelette, je porte du noir de la tête aux pieds et je baisse les yeux la plupart du temps. *Je ne suis pas en position de draguer !* crie ma petite voix intérieure.

Je riposte en marmonnant nerveusement ce que ma voix vient de me dicter et je le prie de ne pas en faire un cas. Le serveur choisit ce moment pour revenir vers nous et nous demander si nous avons fait nos choix. M commande rapidement pour nous deux : crevettes et fruits de mer. Puis il remet brusquement les menus au serveur avant de lui faire le geste de filer vers les cuisines.

M me toise de son regard noir.

— *Ya kahba*, tu fais toujours tout pour gâcher les soirées.

Il fait de son mieux pour contenir la fureur grandissant en lui. Il pianote nerveusement sur la table, réitère que je ne suis pas tenable et annonce qu'il n'a plus aucune envie de ce souper.

— Je n'ai pas dragué, lui dis-je timidement. Je n'ai que souri par gentillesse, M. Je t'en prie, ne te mets pas dans tous tes états pour rien.

— Pour rien ? Tu m'humilies devant un mec !

D'un bond, il se lève et quitte le restaurant. J'attends de longues minutes que sa colère passe, tentant par la même occasion de me convaincre qu'il reviendra sûrement, qu'il a dû aller fumer une cigarette pour se calmer. Je regarde par la fenêtre du restaurant, mais je ne vois pas M.

Je demande au serveur s'il est possible d'annuler la commande, mais il est trop tard. L'homme me présente ses excuses, m'expliquant que le service est lent ce soir, car le restaurant est bondé. J'espère que M sera revenu entre-temps et je remercie le ciel pour la lenteur du service, car au moins il ne mangera pas froid, ce qui évitera une deuxième colère.

Finalement, des mains posent les assiettes sur la table. J'attends toujours. Rien. Pas de M. Juste une

Sophie esseulée aux joues couleur tomate devant des plats qui refroidissent. J'interpelle le serveur pour lui expliquer que M a eu un malaise et que je prendrai les repas pour emporter. La honte et la tristesse m'envahissent. Je me dirige vers la caissière et lui remets ma carte de guichet en priant de toute mon âme qu'il me reste assez de sous dans mon compte afin de payer la note. Je retiens ma respiration ainsi que mes larmes, qui se battent pour jaillir de mes yeux et que je réprime dans un effort suprême alors que je règle la facture.

La caissière me regarde de biais et me demande si je vais bien. Une gentillesse de trop, j'éclate en sanglots. Je parviens à prononcer un « Ça va » pratiquement inaudible et je quitte le restaurant avec un sac en plastique en guise de cadeau de fête.

Je cherche M du regard, mais je ne le trouve pas. Je n'ai pas la clé de notre petit meublé ni d'argent pour prendre le métro. J'erre donc dans les rues avoisinantes en espérant apercevoir M quelque part dans les alentours. L'évidence me vient en tête, il est probablement chez Chafik. Je m'y rends péniblement, ma côte me faisant de plus en plus souffrir. J'arrive finalement à destination et, lorsque Chafik m'ouvre la porte, je vois M, accompagné d'un autre mec qui me semble québécois ainsi que de quelques filles sans voile, des Québécoises de surcroît. Parmi les jupes et les talons hauts, M se pavane comme un coq. Un haut-le-cœur me prend. M se précipite vers moi et me pousse dans le corridor.

— Tu m'humilies, je t'humilie un million de fois plus, c'est compris ? Viens, on s'en va.

Il m'empoigne la main et me traîne à l'extérieur sans dire au revoir à ses comparses. *Au moins, il part avec moi*, pensé-je.

Nous avons réchauffé les plats à la maison et M m'a juré que plus jamais il ne me sortirait au restaurant. Cette nuit-là, il m'a violée brutalement. Je l'ai imploré de cesser sa barbarie, mais, de la force de ses poings, il m'a fait comprendre qui était le plus fort. *C'est tout ce que je mérite.* Ma peau se fissure et du sang gicle sur les draps violets. Je suis balafrée de partout et je m'enfuis à nouveau dans la musique d'Aznavour. «Emmenez-moi au bout de la terre. Emmenez-moi au pays des merveilles. Il me semble que la misère serait moins pénible au soleil.»

SOPHIE FANTÔME

La misère n'est sûrement pas moins pénible au soleil. Ce que je redoutais est sur le point d'arriver. M a décidé que nous partons en Afrique pour de bon. Il désire quitter la province la semaine prochaine. Cette décision est irréversible, car, étant illégalement au Québec, lorsqu'il se présentera aux douanes il sera déporté et ne pourra plus jamais remettre les pieds ici.

La violence, les blessures et la torture de ses mots me tuent à petit feu, mais partir signifie signer mon arrêt de mort et je ne suis pas prête à m'effacer. Par chance, je n'ai plus mon passeport, car en revenant de Cuba, par instinct j'imagine, je l'avais confié à mon père, lui demandant de toujours le garder dans un endroit sécuritaire et de ne jamais me le remettre, même si je le suppliais un couteau sur la gorge.

Lorsque M a une idée en tête, rien ni personne ne peut le convaincre du contraire. Il se rend pratiquement jusqu'au bout de sa folie pour ensuite l'oublier et passer à autre chose. Je me souviens de son empressement à frauder l'université avec les prêts et bourses l'automne dernier. Nous avions passé quelques jours à monter le dossier, puis plus rien.

À chacune de mes cinq prières aujourd'hui, j'ai souhaité du plus profond de mon âme que M oublie ce retour en Afrique, mais il semble tenir mordicus à cette idée et je crains que, cette fois, il aille jusqu'au bout.

Je tremble à la seule pensée de lui mentionner que mon père a mon passeport en sa possession. Sa réaction est effectivement à la hauteur de mes attentes. M est en furie et me crache au visage des mots qui glissent désormais sur ma peau. Je les ai tant entendus qu'ils ne m'atteignent plus aussi brutalement.

Le lendemain, M prend congé et nous nous rendons au bureau de Passeport Canada. En chemin, nous nous arrêtons dans un centre de photographie afin d'immortaliser mon visage pour la photo officielle. Un puissant trouble me submerge lorsque je prends possession de l'image. Mes yeux sont tristes et sans vie. La bosse sur mon nez est intensifiée par l'ombre de mes cernes et mes joues sont si creuses. Le voile noir durcit mes traits. Je ne me reconnais plus. Qui est cette femme sur cette photo qui représentera formellement mon identité ? Sophie… Ce nom résonne comme un écho dans ma tête. *Sophie sans nom de famille, Sophie sans prénom, Sophie sans caractère. Sophie fantôme. Sophie balafrée. Sophie morte.*

Je remplis les formulaires nécessaires afin d'obtenir le nouveau document qui m'enfermera à jamais au pays du sable. Les procédures ne seront pas simples, nous informe le préposé à l'accueil, car comme j'ai «perdu» mon passeport, je dois leur fournir la version originale de mon acte de naissance, qui se trouve dans un coffre-fort chez mes parents, donc inaccessible. Je remercie le ciel.

Nous retournons à l'appartement et je ne peux m'empêcher de ressentir un énorme soulagement. Ma prière a été entendue. Dieu existe vraiment, et je reconnais la présence de mes guides et de mes anges qui m'entourent. Quoi qu'il arrive, je préfère que M me tue de ses mains que d'aller me pendre dans son studio en Afrique.

M jure de trouver une solution et je lui réponds que j'ai confiance en ses capacités. Je ne lui dirai jamais que je ne retournerai pas avec lui dans ce pays que j'ai autant aimé que détesté. Je garde mes réflexions pour moi et je prie à nouveau, à huis clos avec moi-même, afin de trouver la force de quitter mon bourreau et de ne plus jamais revenir vers lui. Sa manipulation m'a fait faillir dans le passé, mais désormais je connais ses stratagèmes et j'ai l'impression que mes pieds toucheront bientôt le fond du puits.

M passe la soirée à faire des appels chez différents amis et essaie en vain de trouver une solution afin de falsifier ce précieux papier, mais, grâce à Dieu, ses connaissances ne sont pas aptes à l'aider. Il a besoin de réfléchir et m'abandonne à mes pensées dans l'appartement du sous-sol.

Pars, va-t'en, laisse-moi seule, je m'en fous à présent, je vis mieux sans toi. Ce mantra, cet écho, cette lointaine chanson, cette prière résonne dans ma tête alors que je m'enfuis doucement dans mon univers.

INCOMPRÉHENSION

Pourquoi n'es-tu pas partie, petite Sophie ? Je ne pouvais pas. Il me fallait un plan de match pour orchestrer ce départ sans risquer d'y laisser ma peau. D'autant plus que, lorsque mon courage me poussait vers la sortie, M redevenait soudainement heureux, retrouvant sa fougue et son rayonnement d'avant. Comme s'il pressentait mon stratagème, me manipulant afin que mon départ soit impossible, m'enfermant dans le labyrinthe de son contrôle.

ATTEINDRE LE FOND DU PUITS

Je prie. Ma dernière prière avant le coucher. Je ne sais plus comment demander à Dieu de me sortir de mon calvaire. Une phrase se formule dans mon esprit : *Mon Dieu, faites en sorte qu'il me frappe si fort que je le quitte pour de bon. Mon Dieu, je vous promets de prier jusqu'à ma mort et d'être exemplaire si vous me sortez d'ici. Et donnez-moi la force de ne plus jamais revenir.*

Plus tard en soirée, alors que je suis captivée par un vieux film qui passe à la télévision, un bruit sourd provenant du couloir attire mon attention. Dans un élan, la porte s'ouvre et j'aperçois M qui s'agrippe à l'embrasure de la porte en s'efforçant de ne pas se laisser choir sur le parquet.

Je me précipite vers lui afin de le retenir, mais d'une main molle il me repousse. Une forte odeur d'alcool chatouille mes narines. Ses yeux mi-clos me renvoient un vilain regard. Il retient à peine sa tête et marmonne des mots incohérents. M avance vers moi avec difficulté. Je l'évite en fuyant vers le fond de la pièce, alors qu'il essaie d'empoigner mon avant-bras, mais son état d'ivresse avancé l'empêche de coordonner ses mouvements trop lents.

Nous jouons un moment au jeu du loup, moi la fuyante et lui le chasseur, et il s'emporte. Une rage excessive le propulse hors de son état d'ébriété. D'un ton puissant et assumé, provenant d'une force qui dort en moi depuis longtemps, je lui ordonne d'arrêter.

— Ça suffit, M. Va te coucher, tu es complètement soûl.

Ses yeux, aussi noirs que l'ébène, brillent d'un éclat pervers. Sa bouche molle se durcit et, de ses mains, il m'empoigne par le cou et me soulève vers le plafond. Mes pieds ballottent quelques secondes dans le vide avant qu'il me laisse tomber à plat ventre sur le sol. Pendant un instant, la force d'un ogre l'a habité et l'adrénaline l'a rendu sobre.

Je veux le fuir. Je ne supporterai pas qu'il me batte à nouveau. Je rampe loin de lui, mais ses grosses pattes m'agrippent les jambes et me forcent à revenir en sa direction, râpant mes genoux sur le parquet de bois. À coups de pied, je réussis à me défaire de son étreinte et, d'un bond, je me lève et cours vers la sortie. C'est à mon tour de recevoir une forte dose d'adrénaline.

Je longe le corridor en courant et j'enjambe les marches menant vers l'extérieur. Pieds nus, en t-shirt et en pantalon de jogging, je file vers le parc qui se situe à une centaine de mètres de l'immeuble. Au loin, j'entends les appels de M entremêlés de jurons, mais, sans me retourner, je continue ma course de plus belle, les pieds meurtris par les cailloux.

Il fait nuit et, comme le parc est petit, il n'y a pas de lampadaires. Je trouve donc refuge derrière les buissons et j'essaie tant bien que mal de calmer ma respiration. M'a-t-il vue courir dans cette direction ? Je le crains. Entre les branches, je le vois chercher à tâtons ma silhouette parmi les arbres. J'ai peur que mon chandail blanc reflète la lumière de la lune. Je me recroqueville de mon mieux, la tête cachée entre mes genoux. Mes bleus des jours passés n'ont pas eu le temps de guérir et je ne supporterai pas d'être frappée à nouveau. Je ne veux plus, je suis à bout, je ne l'aime plus. Il y a eu trop de mal, trop d'altercations, trop de solitude et de captivité. Je veux retrouver ma véritable personnalité et guérir de cet homme. Je sais que je ne suis pas totalement détruite et qu'au fond de mon âme se trouve mon identité.

Les minutes passent et je n'entends plus les pas de M fouler le sol. Je relève la tête, mais je ne vois personne. Je n'entends que le vent frisquet souffler dans les arbres et les bruits provenant de l'autoroute au loin. Je me relève tranquillement en prenant bien soin de ne faire aucun bruit. J'épie le parc, il est vide.

J'ai froid en cette nuit d'été et je regrette de m'être échappée ainsi, pieds nus, en pyjama, sans sac à main ni pièce d'identité. À travers les arbres, j'aperçois une voiture de police parcourir la rue. Le quartier dans lequel je me trouve est dangereux et je redoute qu'une bande de voyous me repère. Je suis captive de ma propre décision et l'idée de me rendre à la voiture de police me traverse l'esprit, mais elle est déjà loin et l'atteindre est désormais impossible. Que faire ? Je grelotte à présent. L'adrénaline a quitté mon corps, je suis fatiguée, épuisée.

Mes pieds écorchés me font mal et j'ai peur seule dans le noir.

Je décide de me diriger tout doucement vers la sortie du parc. Des tables de pique-nique longent les arbres au bord de la route. Je m'arrête net. M s'est effondré sur l'une d'elles, la tête vers le ciel et la bouche grande ouverte. Il n'est pas mort, il ronfle...

Je le contourne rapidement et je m'enfuis vers l'appartement. J'aurai peut-être le temps de prendre un chandail et quelques effets personnels puis de quitter ce taudis une fois pour toutes. La porte principale de l'immeuble est verrouillée et, à cette heure, les allées et venues ne sont pas aussi fréquentes, mais par chance un jeune hindou sort à ce moment et je retiens rapidement la porte avant qu'elle se referme. Il me dévisage, mais je n'ai pas le temps de m'en préoccuper, je me précipite plutôt vers le corridor menant au sous-sol. Ce n'est pas verrouillé. Je ramasse rapidement quelques vêtements, j'empoigne mes chaussures et je quitte cet appart maudit aussi vite que possible. Ce n'est qu'une fois arrivée à la sortie de l'immeuble que je tombe face à face avec M. Une porte vitrée nous sépare. Il me regarde, le teint livide, les yeux remplis de remords. Il penche la tête de côté et me sourit bêtement. Je lis sur ses lèvres qu'il me demande de lui ouvrir. Il fait froid pour une nuit de juillet et je me sens mal de le laisser geler. De plus, il semble vraiment repentant. M cogne doucement dans la vitre en ne me quittant pas du regard. Ses yeux sont si doux. Un frisson parcourt mon corps en entier lorsque je lui ouvre finalement la porte.

— Mon amour… Rentrons, nous allons discuter, me dit-il.

— Je n'en ai pas envie, je n'ai plus rien à te dire. Je suis épuisée à cause de toi, M.

— Ne fais pas de scène ici, je t'en prie. Je ne te demande qu'une brève discussion, j'ai froid et je suis épuisé aussi.

Je flanche à sa demande. De toute façon, je ne saurais où aller, il est tard, je n'ai pas un rond et les bus ne passent plus à cette heure. Nous retournons dans notre petit meublé. M tente de me prendre par la taille, mais je le repousse doucement. Je n'ai aucune envie qu'il pose ses pattes sur moi ; mon corps, ma tête et mon âme en ont marre.

Nous discutons longuement de son mal-être, de ce qui le pousse à me violenter ainsi, de son humeur changeante et de sa possessivité. Il m'aime tant et veut me garder pour lui seul, être l'unique homme qui pose ses yeux sur moi. Le démon s'empare de lui parfois et il n'arrive pas à le contrôler, confesse-t-il. Des gens parlent soudainement dans sa tête et c'est la faute du diable, pas la sienne. Il est jaloux, il s'en repent et, surtout, il regrette. Il n'a aucun droit de me garder captive ainsi et il le sait. D'ailleurs, il m'affirme que consulter un thérapeute est une possibilité.

Je suis ébahie par ses propos, lui qui ne parle jamais de ses sentiments, de ses peurs, de ses faiblesses. J'ai devant moi un petit garçon fragile et sensible qui demande mon aide. Je l'écoute religieusement et je lui fais part à mon tour de mes blessures, de mon mal de vivre et du fait que je ne sais pas si je saurai lui pardonner à nouveau. M me supplie de l'épauler dans sa nouvelle démarche, il ne se supporte plus et m'aime à l'infini. Il ne veut pas me perdre et, en sanglots, il se blottit dans mes bras. Je caresse du bout de mes doigts sa tête et ses épaules en essayant de croire en ses paroles, mais c'est impossible. Mon cœur s'est glacé et un mur s'est érigé entre lui et moi.

LUEUR D'ESPOIR

Malgré mon extrême fatigue, le sommeil ne me gagne pas avant l'aube. Je ressasse maintes et maintes fois ces dernières années, me remémorant les doux et les terribles moments qui ont entaillé mon âme. Dans une petite boîte, j'avais enterré depuis des mois l'image de mes parents, de ma famille et de mes amis, de peur d'être affligée d'une peine incommensurable si je l'ouvrais à nouveau. Cette nuit, la petite boîte a ressurgi et mon cœur a saigné au souvenir de papa, de maman. Me cherchent-ils ? M'ont-ils oubliée ? Est-ce que j'existe encore pour eux ou ne suis-je qu'un simple passé lointain ? Revoir leurs visages dans mon imaginaire me transperce la poitrine. Au cours de la nuit, alors que M dormait paisiblement, j'ai prié pour que papa vienne me chercher. Je voulais me blottir dans ses bras et avoir quatre ans de nouveau.

Le petit matin est déjà loin lorsqu'un coup à la porte me réveille. M prépare le café dans la cuisine, comme d'habitude après une crise. Étonné d'avoir des visiteurs un dimanche midi, il se rend à la porte. Deux hommes, un à la moustache grise et touffue, l'autre grand et maigrelet, exigent de me voir. Je suis soudainement en alerte, me demandant qui ils peuvent bien être. M se tourne vers moi, me questionnant du regard. Je hausse les épaules, encore ensevelie sous les couvertures. Les hommes se présentent comme étant des détectives. Ils nous attendent de l'autre côté de la porte. Je me lève d'un bond et je passe un chandail ainsi qu'une paire de jeans. M est en panique. Il me prend par les épaules et me fait jurer de ne rien dire. Tout va bien, nous sommes heureux et, surtout, nous ne devons pas prononcer le prénom ni le nom de famille de M.

Nous sortons dans le couloir et je m'adosse au mur, mon regard lorgnant le sol. J'ai peur. Surtout de ce qui arrivera lorsque les détectives seront partis et que j'aurai à affronter la colère de M. Les deux hommes se tournent vers moi : «Ton papa est à l'extérieur, il aimerait te voir.» Ma respiration s'arrête. Mes prières ont été entendues, c'est complètement tordu. Mon papa est à quelques mètres de moi, il est venu sauver sa petite fille.

M se tient tranquille à mes côtés, mais son anxiété est évidente. Déboussolée, dans un état second, je suis envahie par le désir de voir mon papa, mais je ne peux acquiescer. M me tuerait. J'ai si peur de ses réactions, j'ai peur pour ma vie. Il me tuera lors de sa prochaine crise, il en est capable. Et cette fois ce sera fatal.

Ma tête tourbillonne et mes jambes flanchent. Je glisse le long du mur et je m'accroupis au sol, la tête entre les jambes. Le détective moustachu se penche vers moi doucement, presque tendrement, et il me demande si j'accepte de le suivre dehors pour quelques instants. *Je ne peux pas, bientôt tu comprendras. Papa… je suis désolée.*

M essaie de s'interposer en demandant aux détectives de nous montrer des pièces d'identité, mais d'un ton brusque et autoritaire le maigrelet le somme de se taire. Je lève mes yeux vides vers l'homme accroupi près de moi. D'un ton neutre et exempt de toute émotion, je lui réponds que je ne désire pas voir mon père et que je ne l'accompagnerai pas à l'extérieur.

C'est la tempête à l'intérieur de mon petit corps fragile. Prononcer ces paroles est terrifiant et me demande une force gigantesque. *Sortez-moi d'ici! Délivrez-moi de ce psychopathe! Faites cesser mon calvaire, je vais mourir!* ai-je plutôt envie de hurler, mais ces mots restent prisonniers de ma gorge nouée. Je refoule mes larmes et je fais taire la petite Sophie. Un personnage de glace a volé mon corps. La tête haute, je me relève et j'entoure de mon bras la taille de M, défiant les détectives du regard.

Après leur avoir dit que ma décision était finale, je les regarde partir comme une naufragée en pleine mer, laissée en pâture aux requins.

À partir de ce moment, j'ai su que j'étais aimée véritablement et que mon être était assez désirable pour qu'on souhaite me retrouver.

M, craignant le retour des détectives, me presse de sortir par la porte d'urgence. Nous nous cachons derrière l'immeuble et, là, j'aperçois mon papa pour la première fois depuis des mois. Les épaules basses, il discute de l'autre côté de la rue avec les détectives, qui viennent probablement de lui annoncer mon refus de le voir.

Papa, je t'en prie… Ne sois pas triste. Je donnerais tout pour repartir avec toi. Te voir me permet de m'injecter une dose d'amour qui manque à mon âme. Tiens bon, papa. Bientôt, je serai à tes côtés. Laisse-moi juste le temps de planifier mon départ afin que je ne meure pas dans ma fuite.

DERNIER COMBAT

Je ressasse dans ma tête mon plan d'évasion tandis que M, lui, ressasse son plan de destruction. Il veut détruire mon père et tous les gens de notre entourage qui ont révélé l'adresse de notre logis. Le combiné téléphonique à la main, il appelle une à une ses connaissances, menaçant de les démolir.

Je sais désormais que papa et maman sont au courant que j'existe. Il me suffirait d'un coup de fil pour me délivrer à jamais de l'emprise de mon gourou. J'ai atteint le fond du puits, je suis prête. La petite Sophie en a assez enduré. Elle ne veut plus souffrir, les sévices ont assez duré. L'amour ne me fera plus courber l'échine. Mais la plus grande bataille demeure celle avec moi-même. Je dois me choisir. Moi.

Cette fois, je n'ai pas besoin de prier pour que mes demandes soient exaucées.

La nuit suivant mon refus de voir mon papa, alors que mes parents ne trouvent probablement pas le sommeil, la colère de M s'abat sur mon petit corps rachitique et je me sens mourir sous l'oreiller qu'il tient fermement sur mon visage. C'est la fin, il va me faire sombrer dans l'oubli, me laisser suffoquer sous le poids des plumes. Mes bras ballottent dans tous les sens, j'essaie vainement de me débattre. Assis sur mon corps quasi inerte, il me retient entièrement captive. Les cris poussés plus tôt ont fait s'évanouir les dernières traces d'air qui, jusqu'ici, m'avaient permis de ne pas perdre connaissance. Je ne suis pas prête à m'effacer. Je ne suis pas prête à disparaître.

S'ensuivent les plus longues minutes de mon existence, la plus longue bataille physique et mentale que j'aurai expérimentée dans cette vie. La guerrière en moi a besoin de surgir complètement afin de remporter sa liberté. Il n'a pas le courage de me tuer. À la seconde fatidique où mon dernier souffle allait libérer mon âme, il se détache de mon corps. Une seconde pour une vie.

Je cherche l'air, je cherche mon souffle, je halète, et mes poumons se crispent sous cette violente libération.

Ces quelques secondes sont assez longues pour que l'adrénaline me pousse vers le téléphone abandonné sur le sol, trop près de mes mains. J'empoigne le combiné et je compose à toute vitesse le numéro de mon château fort.

Assise sur le lit violet, je tiens fermement le combiné à mon oreille et je hurle à ma maman de venir me secourir.

Dans son affolement, M, hors de lui, fracasse le téléphone contre le mur. Il m'agrippe par les cheveux, me fait tomber et me bat avec ses pieds. Sa folie ne s'arrête pas. Il me soulève et me plaque contre le mur. De ses griffes, il entoure mon cou.

J'étouffe. Je suffoque. Il appuie de toutes ses forces sur ma gorge. Mes mains empoignent les siennes, tentant désespérément de décrocher ses doigts qui mutilent ma peau. Il relâche finalement son étreinte. Près de l'évanouissement, je me laisse traîner jusqu'au stationnement intérieur, tout juste de l'autre côté de l'appartement.

Je me débats, j'écorche ses avant-bras avec mes ongles, j'essaie de le mordre et, de ma main libre, je tente de lui asséner des coups sur la tête. Il me tient la bouche d'une main et mon corps en entier de l'autre. Contre son torse, je suis l'esclave de ses bras trop forts pour ma faiblesse. Un coup direct au visage arrête mon élan. Je suis sonnée, mais le match n'est pas terminé. Mon sang n'a pas encore giclé.

À l'aide de son chandail en lambeaux, il m'attache les mains à un tuyau, tout près des conteneurs à ordures, puis me bâillonne. Je sais qu'il aime mieux me tuer que de me laisser le quitter. Il sait que c'est la fin : la mienne, la nôtre.

M a ouvert la porte d'un conteneur à ordures. Je suis effarée, mais je tente de libérer mes mains nouées. Mon sang ne circule plus et l'engourdissement gagne mes doigts.

Mon psychopathe a commis deux erreurs : me traîner dans le stationnement et me délaisser, l'espace d'un instant, pour trouver l'arme fatale.

M étant dos à moi, je tire de toutes mes forces sur le tissu qui me garde en otage. D'un coup, je réussis à délier les liens. Au même moment, la porte de garage s'ouvre pour laisser entrer une voiture, ce qui n'est pas coutume à cette heure tardive. Je cours le plus vite possible jusqu'à l'extérieur, croisant le conducteur qui ne se doute guère qu'il vient de sauver ma peau.

M à mes trousses, je file vers l'entrée de l'immeuble, où une voiture s'arrête presque à ma hauteur. La portière du véhicule s'ouvre du côté passager. Cette voiture aurait pu être celle de n'importe qui, mais sans réfléchir je saute sur le siège et je referme la porte rapidement, puis le véhicule démarre en trombe. Fixant droit devant moi, je ne me suis jamais retournée. Je n'ai jamais revu l'image de M.

Le conducteur était le détective moustachu. Maman avait entendu ma voix.

LIBERTÉ, GUÉRISON

J'ai encore peur de marcher seule dans la rue et de prendre le métro. J'ai toujours l'impression qu'un jour M ressurgira et me kidnappera à nouveau. Je fais encore des cauchemars la nuit, revivant des moments douloureux, sentant ses pattes de vautour piétiner mon corps.

Ma réhabilitation fut longue et, encore aujourd'hui, des cicatrices sont toujours visibles.

Après mon retour à la maison familiale, j'ai su que mes parents avaient engagé des détectives privés afin de me retrouver et qu'ils n'ont jamais laissé tomber les recherches.

Me sortir de cette emprise fut une robuste bataille contre moi-même, mes démons, mes peurs. J'ai finalement trouvé une porte de sortie pour m'éloigner de mon gourou. Ce fut long avant que j'aie accès à cette force qui sommeillait pourtant en moi. Sans les bases solides établies par ma famille et solidifiant ma personnalité, je serais morte. J'aurais abdiqué. Durant tout ce temps sous le joug du Monstre, je savais qu'un jour je trouverais la force de le quitter, de me battre pour moi, Ingrid, mais surtout pour la petite fille en moi.

Me Savoie a rédigé ma déposition et s'est assuré de la faire parvenir aux autorités concernées afin que M disparaisse de mon paysage.

De mon côté, je rayonne à nouveau. Lorsque nous pardonnons, nous aimons. Je ne sais pas si je réussirai un jour à lui pardonner. Mais le pardon sera ma plus grande libération.

Nietzsche a dit : « Quiconque combat les monstres doit s'assurer qu'il ne devient pas lui-même un monstre, car, lorsque tu regardes au fond de l'abysse, l'abysse aussi regarde au fond de toi. » Je ne serai jamais un monstre et personne ne pourra plus jamais me faire plier l'échine.

Remerciements

À maman, à papa, à Jenny et à Lisa, mon château
fort, mes racines, ma famille. À travers mon
histoire, vous avez la vôtre… Merci pour votre amour
sans fin et votre accueil. Merci de n'avoir jamais
abandonné et de m'avoir aimée malgré les malgré.

À Julie et à Caroline, mes inconditionnelles.
Mes *pin-cesses* sans censure et sans jugements. Je
vous aime pour votre essence, de toute mon âme
et pour toujours. Depuis le sous-sol d'église, il y en
a eu du chemin. Je suis fière de vous. Rayonnons !

À Marie-Ève, mon amie qui m'a poussée vers
l'aventure, ma sorcière au sixième sens aiguisé. Je
te dois ce livre. Je t'aime.

À Maryse, merci pour ton amitié et ta générosité de cœur sans borne.

À Chantal, ma *chantalalala*. Dans un train roulant vers le nord, champagne à la main, nous nous
sommes dévoilées. Ma sœur spirituelle, mon amie
éternelle, je t'aime.

À Stéphanie L, mon amie « coup de foudre ».
Être soi avec toi, c'est si bon.

À Fred… refaire le monde là où tout est possible. Merci.

À Stéphanie B, ma partenaire de défis, merci d'être sur ma route.

À Gisèle et à Louise. Merci de m'avoir aidée à « naître à mon essence ». Louise, tu changes ma vie.

À Janick, ma magicienne de l'âme. Merci pour la guérison.

À Yazid, mon âme sœur. Tu as été mon sauveur, tu m'as redonné espoir en me permettant de constater que tous les hommes ne sont pas des monstres. Je t'aime pour la vie, mon *bibs*.

À Me Pilote, parce que vous m'avez écoutée et que vous m'avez inspirée.

À M. Monette, ma première main tendue. Mon rayon de soleil qui m'a sortie de mon étau. Mon premier contact avec l'extérieur. Merci de m'avoir prise sous votre aile et de m'avoir acceptée comme j'étais.

À M. Farré. Il y a quinze ans, vous m'avez dit d'écrire un livre… le voici. Merci pour tout.

À Sonia, mon coq rapide, tu as une place bien spéciale dans mon cœur.

À mes amis… mes chers amis, qui m'avez soutenue dans cette aventure, mes grands-parents, mon oncle, ma tante, Leif, Maly, Yoan, Fanfan, Michel, de ton ciel. Merci d'être ce que vous êtes.

À Nadine… mon éditrice parfaite. Mon ange sur ma route. Tu m'as donné une plume et tu m'as laissée me dénuder de mes masques et dénoncer au grand jour. Merci pour ton expertise et ta confiance, tes mots d'encouragements et tes yeux d'une douceur apaisante.

Merci à la grande famille Librex de m'avoir accueillie chez vous.

Merci à Sonia Gagnon, à Nicole Desmarais et à l'agence d'avoir sauté à pieds joints dans cette aventure.

Finalement, mon amour, Cédrik, tu es un baume sur mon âme. Grâce à toi et à ton intelligence émotive divine, je ne suis plus écorchée. Lors de notre rencontre qui a changé le cours de notre existence, nous nous sommes demandé pourquoi… je sais pourquoi tu marches avec moi. Homme de ma vie, je vais bien dans tes bras. Je t'aime de chacune des parcelles de mon âme.

Maël, Ilann… un jour, vous lirez peut-être mes mots. Mon cœur de Poufette brûle d'amour pour vous.

À la petite fille en moi… plus jamais je ne te laisserai tomber. Ingrid, je te choisis.

Suivez les Éditions Libre Expression sur le Web :
www.edlibreexpression.com

Cet ouvrage a été composé en Adobe Caslon 12,25/15,3 et achevé d'imprimer
en octobre 2015 sur les presses de Marquis Imprimeur, Québec, Canada.